Being at home with Claude

Données de catalogage avant publication (Canada)

Dubois, René-Daniel, 1955-
Being at home with Claude
(Théâtre Leméac)
2-7609-0145-9
I. Titre.
PS8557.U26B44 1986 C842'.54 C86-096010-2
PS9557.U26B44 1986
PQ3919.22.D82B44 1986

Les photos de scène, à l'intérieur, sont de Robert Laliberté.

ISBN 0-7609-0145-9

1124, rue Marie-Anne Est, Montréal (Qc) H2J 2B7
Dépôt légal – Bibliothèque nationale du Québec
1er trimestre 1986

Imprimé au Canada

RENÉ-DANIEL DUBOIS

Being at home with Claude

LEMÉAC

**Being at home
with
René-Daniel Dubois**

ou

**Tout ce que le policier ne pouvait pas
ou ne devait pas comprendre**

ou

**La sainteté à rebrousse-poil
d'un jeune prostitué trop pur**

ou

**Les clefs d'un émerveillement
versus le choc d'une Révélation**

En tout cas

BEING AT HOME WITH CLAUDE
de René-Daniel Dubois

par Yves Dubé

«Pourquoi vous voulez absolument mett' tou'es morceaux ensemble? Y'a quelqu'un qui est mort. Ça doit vous prend' un coupab'? Vous l'avez. Qu'est-ce qui vous faut d'plus?»

LUI

«J'espère juss'. Juss' que lui, y'a pas vu les images que moi j'ai vues. J'espère juss' que lui y'est juss' v'nu au monde. Pis qu'y'a pas vu l'aut' bord d'la médaille.»

LUI

Un fait divers troublant. Une manifestation de folie furieuse, excusable pour les freudiens, impardonnable pour le commun des mortels. Un excès de démence qui provoque la panique. Un meurtre crapuleux. Un geste gratuit donc dangereux (car tout ce qui est gratuit peut devenir objet de suspicion). Le choc profond d'un acte irrémédiable dont on se demandera longtemps pourquoi il a été commis et surtout quelles dispositions sociales, familiales, sociologiques, personnelles il aurait fallu prendre pour qu'il ne se commette jamais. Une saine vision de l'existence exclut intrinsèquement la poésie du geste tragique en refusant à la Fatalité ses titres — pourtant si impérieux — d'une noblesse qui a fait ses preuves.

Mais on n'y peut rien. Comme à chaque fois que cela se produit, ce qu'on espérait tous qui n'arrive pas est arrivé. L'AUTEUR l'a osé. Comme s'il ne savait pas qu'il n'avait pas le droit de mettre tout le monde mal à l'aise, il l'a fait, il a pris sur lui de transgresser nos craintes, nos appréhensions conscientes et inconscientes, nos pudeurs fondées sur des traditions séculaires établissant ce qui est bien et ce qui ne l'est pas. Il a en quelque sorte «flirté» avec le Malin pour en extirper une Beauté dangereuse, celle de l'Esprit du Mal. Comme Lautréamont, de Nerval ou même Jean Genet, il n'a pas craint d'être jeté dans une géhenne où l'on cherchera toujours à enfermer les fous, les illuminés, les maniaques, les détraqués (littéralement ceux qui sont débarqués de la track), les marginaux, les maudits qu'il faut détruire avant qu'ils ne séduisent les innocents — à n'importe quel prix, au prix même qu'ils demeurent innocents toute leur vie.

L'auteur l'a osé, l'a fait! Et maintenant nous sommes confrontés à la grande question : «Peut-on tuer parce qu'on aime trop[1] ?»

Le peut-on? Quelle question!

Tuer — mettre à mort — faire disparaître — contredire l'existence elle-même en faisant disparaître l'essence de l'être — épouser philosophiquement le non-être, la régression, la disparition.

Tuer — aller à l'encontre de la générosité féconde d'une nature organisée de toute éternité pour l'épanouissement de chacun — refuser au Créateur de suivre son Plan — le contrarier — provoquer ses foudres.

Tuer quand on aime trop? C'est le bouquet — l'inconcevable. Comme si on ne savait pas que l'Amour, le Beau, le Vrai, le Bon n'existent qu'en fonction de la vie et réciproquement.

1. Paul Toutant, journaliste à Radio-Canada.

Peut-on tuer quand on aime trop?

Sûrement impossible! Et pourtant n'a-t-on pas appris qu'on pouvait mourir d'amour? Déjà par cette connaissance on a introduit le DOUTE qui est une foi plus intransigeante que la foi elle-même.

Le sentiment amoureux peut donc provoquer la mort. On ne peut mourir parce qu'on aime. Le sentiment amoureux peut donc avoir une action dans l'ordre de la destruction matérielle ou dans celui d'une édification idéale dans le monde immatériel de l'âme humaine.

Cette pensée ou plutôt cette réalité a toujours eu quelque chose de tellement troublant qu'on l'a laissée en dehors de toute norme établie — comme s'il s'agissait d'une présence alchimique — d'un fait contre nature. Si on disait oui à Tristan et Iseult ou à Roméo et Juliette, ça devait rester dans l'abstraction et ça ne devait pas aller plus loin. Mais dans tous les cas semblables la Mort était ressentie selon les rites d'une fatalité qu'on devait subir avant une certaine passivité. Mais de là à donner la Mort par Amour!

Quel nègre fou... aurait pu imaginer pareille incantation?

René-Daniel Dubois est ce nègre fou — et observateur obsédé de troubles amoureux et de leurs conséquences — ce poète flamboyant qui veut ne rien craindre, ne rien épargner et qui de ce fait se voue totalement, aveuglément au culte d'un sentiment auquel son héros sacrifiera plus que sa vie elle-même, l'existence de l'être chéri dans toute l'ardente beauté d'un acte amoureux tellement total que rien au monde ne le peut dépasser et qui à l'exemple des sacrifices antiques ne peut se valoriser que dans la mort/apothéose, stigmatisant ainsi pour l'éternité le double don consenti. Le héros de la pièce de René-Daniel Dubois a décidé non seulement de se priver de la présence de l'être qu'il aime par-dessus tout mais encore d'épargner à ce dernier la vision de la laideur du monde — «le revers de la médaille», dit-il au policier.

Peut-on tuer quand on aime trop? Le peut-on? Yves[2] *(LUI) ne se pose pas cette question. Il tue par une espèce de nécessité viscérale qui émane tout à coup de tout son être et il ne peut pas désobéir à un ordre aussi profond. Il ne mesure évidemment pas la portée politique de cette obéissance. Il lui faut être lui-même absolument ou n'être pas (ou déchoir dans sa propre estime, ce qui lui semblerait intolérable devant la grande compréhension de Claude). Yves (LUI) est un pur. D'une pureté telle qu'on peut parler de sainteté. Une vie de «serin» débauché dans la prostitution n'a rien altéré de cette pureté première — de celle qui n'accepte aucun compromis important. L'enveloppe sociale n'a d'emprise sur lui que pour faire ressentir l'écœurement des compromis des autres. Il passe parmi eux sans qu'ils puissent l'atteindre à des niveaux où se situe sa véritable nature. Jeune garçon d'une classe sociale assez pauvre et d'une caste «professionnelle» définitivement réprouvée, il n'en demeure pas moins apte à donner à tous une «leçon d'être» tellement disproportionnée qu'il semble incompris de tous, rejeté, condamnable ou pitoyable, à ne pas entendre sans prendre le risque d'y perdre une tranquillité très souvent chèrement acquise.*

---

2. Le personnage central de la pièce.

Mais que risquons-nous d'entendre, que risquons-nous de voir, que risquons-nous de découvrir?

Il fait chaud dans le «home» de Claude, comme dans l'espace scénique — et dans les lieux évoqués par cet espace — de René-Daniel Dubois. Cette chaleur est indispensable. Je crois que le froid de l'hiver n'aurait pas pu se prêter à une scène aussi imprégnée de toutes les odeurs de leurs corps (nos corps) en sueur. L'intensité violente des répliques est communicative, aux lecteurs comme aux spectateurs. C'est l'été. La saison des ardeurs, des renouvellements, des folies rouges et admirables.

Les personnages — présents pourtant très matériellement — tout à coup semblent devenir insaisissables. Ils s'élancent dans une espèce de pas de deux irréconciliable. Ils nous donnent le vertige. Ils traversent la scène et notre vision s'enfuit avec eux. Un ballet de mots — de gestes —, d'attitudes d'où nous sortirons vaincus, meurtris, éblouis, définitivement troublés mais nullement assagis.

Yves (LUI) livre avec difficultés un cri intérieur, rauque, sans bavure, et les mots pour le dire — de haute voltige — ne lui viennent que du cœur — courageusement et péniblement. Le policier confesse un attendrissement — accident de parcours — mais réitère son allégeance à la brutalité des idéaux hérités du système. Yves (LUI) parle d'un monde où ces choses se passent comme si elles étaient rêvées. En fait, de rêves il n'y en a pas! C'est d'un autre monde qui n'a pas vraiment droit d'existence qu'il est question. Un monde irréel si l'on veut, mais un monde rendu réel par la vertu créatrice des visions de l'auteur. Un monde d'intériorité qui se superpose quelques instants à celui de la réalité et qui dépasse tellement cette dernière qu'on se demande avec le personnage si ce monde gigantesque a déjà existé — s'il est un rêve — une invention d'artiste — un souhait brûlant d'idéaliste.

Tout est insaisissable et pourtant nous l'avons vu,
tout est inaudible et pourtant nous l'avons entendu,
tout est irrecevable et pourtant nous avons été
touchés.

Being at home with Yves (LUI), with Claude, with René-Daniel Dubois. Envolée vers le sublime, emprise totale d'un instant d'amour qui à lui tout seul vaut plus qu'une vie, surtout si dans cette vie on est dans un bureau avec un policier et qu'on y attend un juge coupable et devant obligatoirement demeurer impuni. Jamais dans toute notre dramaturgie on n'était allé aussi loin — aussi profondément dans la dénonciation et en même temps dans la vison d'un amour idéal.

Peut-on tuer parce qu'on aime trop? Quand c'est devenu la seule façon de la prouver, les êtres d'élite peuvent s'y risquer — s'y perdre probablement et nous régénérer.

Bonne nuit, docteur Münch. Arrivederci, Alex, Michaela, Ahmed. Adieu, Claude... Quant à LUI (Yves)... Merci, René-Daniel Dubois.

Yves Dubé

René-Daniel Dubois
Né à Montréal, le 20 juillet 1955

CRÉATION ET DISTRIBUTION

La pièce *Being at home with Claude* a été créée à Montréal, le 13 novembre 1985, au Théâtre de Quat'Sous.

Mise en scène .... Daniel Roussel
Assistance à la mise en scène..... Claude Perron
Direction de la production......... Jean-Pierre Saint-Michel
Scénographie .... Michel Crête
Éclairages.................................. Claude Accolas
Régie... Éric Fauque
Relations publiques.................... Pierre Bernard
Photographie .... Robert Laliberté

La distribution était la suivante:

LUI (YVES)................................. Lothaire Bluteau
L'INSPECTEUR (ROBERT) .... Guy Thauvette
LE STÉNOGRAPHE (GUY) .... Robert Lalonde
LE POLICIER (LATREILLE) .... André Thérien

PERSONNAGES

LUI (YVES)
Première moitié de la vingtaine. Mince. Nerveux.

L'INSPECTEUR (ROBERT)
Seconde moitié de la trentaine.

LE STÉNOGRAPHE (GUY)
Assistant du précédent. Même âge que son supérieur. Gros fumeur de cigarettes.

LE POLICIER (LATREILLE)
Membre des services de sécurité du palais de Justice. N'a pas la moindre idée de ce qui se passe dans le bureau du juge Delorme, et s'en fout éperdument.

DÉCOR

Le bureau du juge Delorme, au palais de Justice de Montréal. Un grand pupitre massif, derrière lequel est un des fauteuils lui faisant ordinairement face. Le fauteuil bergère du juge a été déplacé et est rangé le long d'un mur. Les vestons des deux policiers sont jetés dessus. Sur le pupitre: buvard, porte-plume, encrier, calendrier perpétuel, cendrier, cadre, lampe, presse-livre, livres, etc. Tous ces accessoires sont, pour l'instant, repoussés à un bout du pupitre pour en dégager la surface pour la durée de l'interrogatoire. Le second fauteuil des visiteurs est occupé par LUI.

Dans le mur côté cour: la «petite» porte, porte de service en bois verni.

Dans le mur du fond: la «grande» porte, la porte officielle, capitonnée. LUI en a la clé dans ses poches.

Une carte géante de l'Île de Montréal, en couleurs.

Un vasistas de verre dépoli surmonte la porte.

Près de la grande porte, on a amené une chaise et une table à cartes qui servent au STÉNOGRAPHE. Sur la table: les feuillets vierges et ceux portant la transcription de l'interrogatoire; un grand cendrier, débordant de mégots; l'appareil à sténographie.

L'impression donnée devrait être celle d'un bureau installé depuis tellement longtemps que son occupant habituel le considère comme son « living-room », et qui est, pour l'heure, l'objet d'une invasion barbare.

Éclairage : cru et naturaliste.

NOTES

1- L'un des dangers que présente ce texte tient à la tentation que l'on pourrait avoir (et à laquelle on pourrait succomber) d'uniquement chercher à faire «se baver» LUI et L'INSPECTEUR. En fait, ils cherchent simplement l'occasion, pour le premier: de dormir un peu en attendant le juge qui, croit-il (du moins au début), peut l'aider; et le second: de comprendre de quoi il retourne et comment il s'est retrouvé dans cette position délicate où il risque de recevoir des coups.

2- Tous les personnages sauf LE POLICIER Latreille qui commence à peine sa journée de travail et qui est affecté au palais de justice, pas à la Police de Montréal, sont exténués. Néanmoins, le rythme est rapide. On gagnera à s'imaginer que cette pièce constitue le dernier acte d'un drame qui se joue depuis trente-six heures et dont nous n'avons la description détaillée que pour la dernière (un peu plus). Cette heure-ci est cependant autonome et possède sa propre acmé tout en étant celle du drame dont elle constitue la dernière partie. Les acteurs ne partent donc pas à «zéro» mais, bien au contraire, à «quatre-vingts».

Au moment où la pièce commence, le 5 juillet 1967 à 10h30, l'interrogatoire dure depuis le matin du 4 juillet à 1h, sans interruption. On a l'impression que ni LUI ni les policiers n'avancent; LUI parce qu'il n'a pas l'intention de raconter quoi que ce soit de plus que ce qu'il a déjà raconté cent fois, et eux parce qu'il leur manque le «pourquoi» et qu'ils se retrouvent, seuls, à devoir se dépatouiller dans cette situation explosive.

3- Une heure après le début de la représentation (précisément à 11h30, temps fictionnel), trois coups sont frappés à la grande porte: le juge arrive. *Peu importe où cela se produit dans l'action. Dans toutes les éventualités, l'effet est le même*: L'INSPECTEUR fait signe au STÉNOGRAPHE de sortir demander au juge d'attendre quelques instants. Dès que le premier coup est frappé: silence total en scène. Silence de citoyens traqués. LE STÉNOGRAPHE sort. Revient. Dès que LE STÉNOGRAPHE a repris sa position, on reprend la réplique interrompue par les coups, ou on continue, selon ce qui convient le mieux.

À Marc

Gong. Pleins feux. Tout est figé sur scène. Nouveau coup de gong, les acteurs se mettent en mouvement. Aussitôt :

L'INSPECTEUR
(*hurlant*)

Pis moi ? T'imagines-tu que j'aimerais pas mieux êt' en train d'faire la queue pour le pavillon du Japon, à place d'êt' pogné avec une guidoune du parc Lafontaine qui s'amuse à égorger l'monde ? T'imagines-tu qu'j'ai rien qu'ça à faire dans vie ?

Temps.

L'INSPECTEUR
(*plus calme*)

O.K. Pis du Parc, t'es allé où ?

LUI

Sacrament, ça fait douze fois j'vous l'dis.

L'INSPECTEUR

Répète-moi-lé.

Temps.

LUI

Écoutez. M'as vous le r'dire. Toute. Mais c'est la dernière fois. Enregistrez-lé ou ben filmez-lé. Faites-vous des marques su'a carte avec des numéros ou ben-don faites-vous des dessins, j'm'en sacre. Mais...

L'INSPECTEUR

Eye, bonhomme. Laisse faire les conseils pis réponds. T'as appelé. Chus v'nu. T'as raconté ton histoire de fou. Asteur fais c'que t'as promis pis laisse...

LUI

App'lez-moi pas bonhomme.

L'INSPECTEUR

Fas que laisse-moi faire ma job. Envoye, raconte. Pis raconte toute.

LUI

Mais ciboire, j'ai toute raconté. Qu'est-cé qu'vous voulez savoir de pluss?

L'INSPECTEUR

Ton nom.

LUI

Ça, oubliez ça, vous l'saurez pas.

Temps.

YVES (Lothaire Bluteau)

L'INSPECTEUR

R'commence.

LUI

Après l'Parc, chus allé...

L'INSPECTEUR

Du début.

LUI soupire.
Temps. On frappe à la petite porte.

L'INSPECTEUR

Oui.

La petite porte s'ouvre. LE POLICIER entre.

LE POLICIER

Vous aviez demandé d'vous prév'nir à dix heures et d'mie. Y est un peu passé. Le juge arrive dans une heure.

LE POLICIER sort en refermant la porte.

L'INSPECTEUR

Envoye, shoot.

LUI

En sortant d'chez eux, chus allé prend' le métro. À Jarry. Y d'vait être à peu près neuf heures. Chus allé jusqu'à Bonaventure. Là, j'ai descendu. J'ai marché vers le port. Rendu là, chus parti vers l'ouest. J'ai marché peut-être une heure. Peut-être plus. J'sais pas, j'ai pas d'mont'. Un moment donné, j'me suis réveillé. J'étais assis su l'bord d'une clôture, dans Westmount. J'avais comme mal à tête. C'est un peu comme si j'm'étais endormi dans mon bain. Vous savez? On s'endort, mais on l'sait qu'on est dans l'bain. Mais on rêve pareil. Pis d'in coup, j'me suis réveillé, assis sur une p'tite clôture de bois verte pis j'me suis rendu compte que tout c'temps-là, en même temps je l'savais que j'marchais pis en même temps je l'savais pas. J'marchais, c'est toute.

L'INSPECTEUR

Laisse faire les états d'âme. On a rien qu'une heure pour finir. Raconte.

LUI

Ciboire, qu'est-cé qu'vous pensez que j'fais? De quoi qu'vous pensez que j'parle? J'y ai pas ouvert la gorge pour un vingt. Ou bendon parce qu'y m'faisait chier.

L'INSPECTEUR

Pourquoi, d'abord?

LUI

Pendant tout c'temps-là, j'savais que j'marchais, mais j'm'en rendais pas compte. J'savais aussi pourquoi j'marchais mais j'voulais pas y penser.

L'INSPECTEUR

À quoi tu pensais?

LUI

Aux aut' fois qu'j'étais passé là.

L'INSPECTEUR

Quand ça?

LUI

D'aut' fois. En m'prom'nant. Quand j'me sens... quand j'me sentais trop heavy. J'aimais ça prend' des grandes marches. Après, j'me sentais aussi heavy, mais au moins j'tais fatiqué pis j'pouvais dormir.

L'INSPECTEUR

Pis?

LUI

Hein?

L'INSPECTEUR

T'étais rendu assis su'a clôture.

LUI

J'ai eu peur.

L'INSPECTEUR

De quoi?

LUI

Hein?

L'INSPECTEUR

De quoi t'as eu peur? Si t'avais peur, pourquoi tu nous as appelés? Pourquoi t'as pas sacré ton camp? Pourquoi t'as appelé au quartier général d'la police pour nous dire qu'y'avait un cadavre dans un appartement d'la rue Casgrain? Pourquoi t'as rappelé une heure après pour nous dire que c'était toi qui l'avais tué ? Si t'avais peur, pourquoi t'as faite toute ton viarge de numéro, au téléphone, pour nous obliger à v'nir icitte te rencontrer ? Comment c't'as fait pour voler les clés du juge Delorme ? Pourquoi qu't'as exigé qu'on vienne te charcher icitte ? Pis pourquoi qu't'as appelé l'Montréal-Matin ? Pourquoi qu'tu voulais absolument nous obliger à v'nir icitte ? Pourquoi qu'tu veux pas dire ton nom ?

Temps.

L'INSPECTEUR
(*calme*)

Envoye. Continue.

LUI

Quant' j'me suis réveillé, j'y croyais pas. C'était un peu comme, vous savez, comme quand des fois on est avec quelqu'un et pis d'un coup, on a l'impression qu'on a déjà vécu c'moment-là en rêve, pis on est même sûr qu'on n'en a parlé à la personne. On y dit : ce moment-là, je l'ai déjà rêvé. T'sais, j't'en avais parlé ? Pis la personne est pas sûre. C'tait d'même : j'avais marché pendant pluss qu'une heure, j'me r'trouvais assis su une clôture, pis tout l'temps qu'j'avais marché, comme en arrière de ma tête, y avait comme le souvenir de quelque chose que j'savais pas si j'l'avais faite. Pis, en m'réveillant, l'image était encore plus forte mais me semblait qu'ça s'pouvait pas qu'j'aye faite ça. Ça s'pouvait pas. Eye, vous pouvez pas y d'mander d'sortir ?

L'INSPECTEUR

Pourquoi ?

L'INSPECTEUR — Si t'avais peur, pourquoi t'as faite ton viarge de numéro, au téléphone, pour nous obliger à v'nir icitte te rencontrer?
(Lothaire Bluteau et Guy Thauvette)

LUI

Y m'fatique. Y écrit toute. Y dit pas un mot. Y fait pas un son. Sauf quand y sappe en buvant son café. Pis de toute façon, vous r'lisez jamais c'qu'y écrit.

L'INSPECTEUR

Si je l'fais sortir, tu vas-tu m'dire ton nom pis pourquoi tu l'as tué? Tu vas-tu m'dire qu'est-cé qu'on fait icitte? Pis qu'est-cé qu'ça prend pour que tu fasses pas un scandale en sortant d'icitte?

Temps. LUI ne répond pas.

L'INSPECTEUR

Guy, va m'chercher un aut' café. En veux-tu un?

LUI

Non, merci.

L'INSPECTEUR

La binerie, à côté, doit êt' ouverte. Va là. Après, t'attendras dehors que j't'appelle.

LE STÉNOGRAPHE prend un dollar des mains de L'INSPECTEUR et sort par la petite porte.

L'INSPECTEUR

Bon...

LUI

Y'avait comme un p'tit vent frais. On l'sentait qu'y allait mouiller. C'tait collant. J'tais su j'sais pus quelle rue. En tout cas, une perpendiculaire à Sherbrooke. J'pense que j'voulais aller su la montagne, quand j'me suis arrêté.

L'INSPECTEUR

Pour quoi faire?

LUI

Qu'est-cé qu'vous pensez qu'on peut vouloir aller faire su la montagne, en pleine nuit, au mois d'juillet?

L'INSPECTEUR

J'sais-tu, moi?

LUI

Voulez-vous rire de moi?

L'INSPECTEUR

Dis-lé, viarge, qu'on en vienne à boutt.

LUI

Baiser. Bon. Êtes-vous content, là?

L'INSPECTEUR

Pour l'amour du tabarnak, veux-tu ben m'dire pourquoi tu voulais aller baiser su'a montagne, une heure et d'mie après avoir ouvert la gorge à un gars dans son appartement? Pis pourquoi qu'à place, tu nous as appelés?

LUI

J'vous ai pas appelés.

L'INSPECTEUR

Ah non? Ben qu'est-cé qu'on fait icitte, d'abord?

LUI

Pas tu suite. J'vous ai appelés après. Deux jours après.

L'INSPECTEUR

Après quoi?

LUI

Après lui. J'ai appelé chez eux avant.

L'INSPECTEUR

Chez qui?

LUI

Chez eux.

L'INSPECTEUR

Même à lui, tu veux pas dire son nom?

LUI

Non.

L'INSPECTEUR

Mais pourquoi qu'tu l'as appelé? Tu l'savais qu'y était mort, c'est toi qui l'as tué.

LUI

Mais je l'savais pas.

L'INSPECTEUR

Comment ça, tu l'savais pas?

LUI

J'pensais qu'c'était un rêve.

L'INSPECTEUR

O.K. O.K. Tu pensais qu'c'était un rêve. Fas que tu l'as appelé.

LUI

Pas tu suite.

L'INSPECTEUR

Quand, d'abord?

LUI

J'tais assis su'a clôture. J'ai pris un bout d'temps à r'garder les maisons. J'aime ça, les maisons, dans Westmount. J'ai toujours rêvé d'êt' riche. Mon père, quand y était p'tit, y étaient riches, chez eux. Pis y m'contait souvent des histoires de quand y était riche. Mes grands-parents, surtout, m'en contaient, les parents de mon père, à Noël, à Pâques, quand on allait dans des party, chez eux. Ils avaient un tout petit appartement, plein d'meubles Louis XIV. C'était mon grand-père qui avait bâti la maison. Il l'avait vendue au père de ma grand-mère. Pis quand ils ont perdu leur fortune, ils sont allés vivre au deuxième. Ça ressemblait à la caverne d'Ali Baba. Y'avait trop d'stock. Y'avait d'l'argenterie. Des cadres. D'la vaisselle.

L'INSPECTEUR

Westmount.

LUI

Ouan. Y vivaient à Westmount, avant. Avant de perdre leur argent.

L'INSPECTEUR

T'étais accoté su une clôture, à Westmount.

LUI

Ouan. On voyait la lumière bouger, à travers le plein jour. Le monde, en d'dans, devaient être en train d'écouter la T.V.

L'INSPECTEUR

T'as appelé chez eux, pourquoi?

LUI

Hein?

L'INSPECTEUR

Le gars.

Il se penche sur un dossier posé sur la table.

LUI

Eye!

L'INSPECTEUR

Quoi? Qu'est-cé qu'y'a?

LUI

Dites-le pas.

L'INSPECTEUR

Quoi?

LUI

Son nom.

L'INSPECTEUR

O.K. T'as appelé chez eux.

LUI

Oui.

L'INSPECTEUR

Pis après?

LUI

Ça fait mille fois j'vous l'dis: après êt' sorti d'chez eux, j'me suis promené.

L'INSPECTEUR

T'as pris l'métro.

LUI

Ouan. J'ai pris l'métro pis j'me suis promené jusqu'à temps que j'me ramasse sur une clôture. Là, j'me suis réveillé pis j'ai r'gardé les maisons. Le monde, encore vivant, tranquille. Riche. Pis la seule image que j'avais dans ma tête, me semblait qu'a s'pouvait pas. Chus parti en courant. J'ai r'descendu la côte. Jusqu'au Forum. J'courais comme un fou. Comme si j'pouvais empêcher une catastrophe d'arriver.

L'INSPECTEUR

Jusqu'au Forum?

LUI

Oui.

L'INSPECTEUR

À quoi qu'a r'semblait, la rue où c't'étais? La rue où tu t'es accoté su'a clôture?

LUI

Ben...

L'INSPECTEUR

Était-tu en droite ligne ou ben en curve?

LUI

J'comprends pas.

L'INSPECTEUR

Parle-moi d'la rue. Pas les maisons, la rue.

LUI

Était en pente. Au bout, me semb' qu'y'avait queuqu' chose. Comme un rond-point. Les autos qui passaient d'vant moi, rendues en haut, pouvaient pas continuer. Fallait qu'y tournent. À droite.

L'INSPECTEUR

Les autos passaient en montant?

LUI

En montant?

L'INSPECTEUR

Oui. T'étais en haut d'Sherbrooke?

LUI

Oui.

L'INSPECTEUR

Y passait des autos. Tu viens d'en parler.

LUI

Oui. J'me souviens d'une grosse Chrysler blanche qui est passée ben ben lentement. Le bonhomme, dedans, cherchait une adresse. La lumière était allumée. En d'dans, était rouge vif.

grosse Chrysler blanche

L'INSPECTEUR

Quel bord qu'a allait? Vers le haut d'la côte ou bendon vers Sherbrooke? Ou ben si y en passait dans 'es deux sens?

LUI

A l'allait vers en haut. Mais y en a passé dans les deux sens.

L'INSPECTEUR

Lansdowne.

Il l'écrit sur une feuille.

LUI

Quoi?

L'INSPECTEUR

Laisse faire.

L'INSPECTEUR va déposer la feuille sur la table du STÉNOGRAPHE.

L'INSPECTEUR

Après?

LUI

J'ai couru vers le Forum.

L'INSPECTEUR

C'est un bon boutt.

LUI

Ça s'peut.

L'INSPECTEUR

T'as couru tout l'long?

LUI

Oui.

L'INSPECTEUR

Combien d'blocs?

LUI

J'sais pas.

L'INSPECTEUR

As-tu couru su Sherbrooke?

LUI

Ça doit.

L'INSPECTEUR

Oui ou non?

LUI

Qu'est-cé qu'ça peut ben vous faire que j'aye couru su l'boulevard Métropolitain, su Sherbrooke ou ben su Sainte-Catherine?

L'INSPECTEUR

Laisse faire qu'est-cé qu'ça peut m'faire pis réponds. R'garde-moi. En pleine face. (*Il regarde sa montre.*) Écoute-moi ben. Y est onze heures moins quart. On est lundi matin. Chus assis icitte avec toi depuis une heure dimanche matin pis y'a rien qui grouille. Tu nous as appelés pour nous obliger à v'nir icitte te rencontrer. C'est toi qui as faite du chantage aux journalistes qui sont là, d'l'aut'bord d'la porte, en attendant un scoop. Pis chaque menute qui passe leur fait monter la tension un peu pluss. C'est toi qui les as appelés pour leu dire qu'y allait s'brasser d'la marde au palais d'Justice. Ben là, tit-gars, la marde, t'es d'dans, pis c'est toi qui brasses. Mais c'est à mon tour de pousser. C'est toi qui nous as appelés pour nous dire d'aller voir dans un appartement au coin d'Casgrain pis Liège, parce qu'y'avait un gars mort dedans pis qui a rappelé une heure après pour nous dire que c'est toi qui l'avais tué, qu'tu nous attendais dans l'bureau, icitte, pis d'faire ça vite parce que l'Montréal-Matin 'tait déjà au courant. C'est toi, right?

LUI

Oui.

On frappe à la petite porte.

L'INSPECTEUR

Oui.

La petite porte s'ouvre. LE STÉNOGRAPHE entre et va remettre à L'INSPECTEUR une mince pile de feuillets.

LE STÉNOGRAPHE

Ça vient jus' de rentrer. J'vas chercher vot' café.

LE STÉNOGRAPHE ressort en refermant la porte. Temps. L'INSPECTEUR parcourt les feuillets.

L'INSPECTEUR

Ça va être ta fête ben vite.

Temps.

LUI

Comment ça s'fait qu'vous savez ça?

L'INSPECTEUR

C't'un beau nom, ça, Yves.

LUI se lève.

L'INSPECTEUR

Assis.

Temps. L'INSPECTEUR lit.

L'INSPECTEUR

Ta sœur le sait-tu, qu'tu fais l'Carré?

LUI est assis, figé.

L'INSPECTEUR

Nous prends-tu toutes pour des cruches? T'imagines-tu vraiment que pendant qu'tu nous fais niaiser icitte, on va s'croiser les bras. Que parce que monsieur a l'goût de r'virer la ville à l'envers pour montrer son linge sale à tout l'monde, on va l'laisser faire pis on charch'ra même pas à savoir qui c'qu'il est parce qu'y veut pas nous l'dire?

LUI

J'vous fais pas niaiser. J'ai tué un gars. J'vous l'ai dit. Pis chus icitte, non?

L'INSPECTEUR — Nous prends-tu toutes pour des cruches?
(Guy Thauvette)

L'INSPECTEUR

Pis?

LUI

Qu'est-cé qu'vous voulez savoir de pluss?

L'INSPECTEUR

L'autopsie dit qu'y est mort le premier juillet ent' neuf heures pis onze heures. Tu nous as appelés la nuit du trois au quatre. J'veux savoir où c'est qu't'étais entre-temps.

LUI

Mais c'est ça...

L'INSPECTEUR

Farme ta gueule pis laisse-moi parler.

J'veux savoir où c'est qu't'étais. Qu'est-cé qu't'as faite? J'veux savoir pourquoi qu'tu l'as tué. J'veux savoir qui c'est qu't'es. J'veux savoir d'où c'est qu'tu viens pis qu'est-cé qu't'as faite dans vie. Pis tout c'que j'arrive à t'faire sortir c'est des affaires qui matchent pas. Qui ont pas de bon sens. Pis j'ai l'feeling que ça fait quésiment trente-six heures que tu ris d'nous aut' en pleine face. Pis j'haïs ça. M'entends-tu? J'haïs ça. (*Il se précipite vers la table du STÉNOGRAPHE. Prend des feuilles au hasard. Lit des exemples:*) Question: nom? Réponse: vous l'saurez pas. Question: prénom? Réponse: vous l'saurez pas. Âge? C'est pas d'vos affaires. Vous m'avez. C'est moi qui l'a tué. Contentez-vous de t'ça pis crissez-moi la paix. Si vous voulez savoir queuqu' chose, appelez l'juge Delorme. (*Sautant plusieurs pages:*) Comment t'as faite pour entrer icitte? Réponse: charchez. C'est vot' métier, pas l'mien. (*Autre page* :) Question : qu'est-cé qu'tu fais dans vie ? Réponse : j'baise. Pour de l'argent ? Y'a pas de p'tit métier. Où c'tu t'tiens ? Réponse : hésitation puis : au Parc. Au parc Lafontaine ? Pas d'réponse. Pis là, on apprend qu'ton spot, c'est l'carré Dominion. T'appelles pas ça rire du monde, toi ? Qu'est-cé qu'ça t'prend, calvaire ?

LUI

Qu'est-cé qu'ça peut ben vous crisser, d'où c'est que j'viens ?

L'INSPECTEUR

(*brandissant un nouveau feuillet*)

Même son nom à lui, tu voulais pas nous l'dire. Nous prends-tu toutes pour des épais ? Y'avait toute, dans l'appartement : un passeport, sa carte d'assurance sociale, son bail. T'imagines-tu qu'on était jus' pour le ramasser sans faire de bruit pour pas déranger parsonne, laver l'plancher pis r'sortir en r'barrant la porte ? Te prends-tu pour James Bond ? C'est quoi, là, l'trip ? Qu'est-cé qu'tu veux ? Y'a-tu moyen de l'savoir ? (*Il revient à son pupitre, reprend les feuillets dessus.*) Y avait pas d'casier judiciaire pis toi non plus.

LUI

Qu'est-cé qu'vous en savez ?

L'INSPECTEUR

La prochaine fois qu'tu laisseras traîner une tasse sur un pupitre, si tu veux pas qu'on compare tes empreintes, fais sûr que c'est pas un beu qui a ramasse, 'tite tête.

Y'avait pas d'dope ni d'alcool dans l'sang. Pas d'trace de rien dans l'appartement. Mais... (*en regardant au plafond* :) y est mort en baisant. A'ec un gars. Pis c'est pas un viol parce que lui 'si est v'nu. Pis son linge 'tait pas déchiré. Y était partout dans la cuisine mais pas en morceaux. Y'avait tes empreintes partout dans l'appartement. La seule place où c'qu'y'a pas eu moyen d'en trouver, c'est su l'manche du couteau qui a servi à y ouvrir la gorge, parce que c'était un couteau à steak a'ec un manche en imitation d'billot, en plastique, pis qu'y'a pas moyen de rien lire là-d'sus.

Ça s'peut qu'c'était un d'tes clients. Tes « collègues » du Carré disent que t'es o.k. mais que des fois tu peux êt' un peu loose. Y'en a une coup' qui disent des affaires ben pas fines su toi.

LUI

Mes collègues ? Vous savez même pas où c'est que j'travaille.

L'INSPECTEUR

Eye. La prochaine fois qu'tu décideras d'tuer quelqu'un, arrange-toi donc pour que ce soye pas un étudiant en littérature qui tient son journal tous les jours pis qui parle de toi en disant qu'y trouve ça ben ben weird de coucher avec un commercial. Pis quand t'auras réglé ça, pis qu'tu donneras rendez-vous aux beux dans l'bureau d'un juge, en pleine nuit du mois d'juillet, pendant la fin d'semaine d'la fête d'la Confédération, avec un quart de million de touristes en ville pour l'Expo, laisse donc pas traîner ton jean-jacket à côté d'la porte, avec une décoration d'beads jaune orange dans l'dos où c'est écrit « AVAILABLE ». Pis passe pas trente-queuques heures assis en face d'une f'nêt' qui donne dehors quand tu sais pas qui c'est qui peut te r'garder de d'l'aut' bord d'la rue.

D'où c'est qu'tu sors? Ça faisait combien d'temps qu'tu l'connaissais? Pis pourquoi tu l'as égorgé su son plancher d'cuisine?

LUI

Me semblait que c'était toute écrit dans son journal?

L'INSPECTEUR

Non. Y parle quésiment pas d'ses histoires de cul. Tout c'qu'on sait, c'est qu'ça fait au moins un mois.

LUI

Un mois?

L'INSPECTEUR

Ouan. Depuis un mois, y parlait d'toi à peu près à chaque page.

LUI

Ah.

L'INSPECTEUR

Ça te surprend-tu?

LUI
(après un temps)

Non.

L'INSPECTEUR
(tout bas)

Viarge.

O.K. On r'commence. Pis on fait ça vite, o.k. ? Tu t'appelles Yves. Y s'appelait Claude. Le soir du premier juillet, jeudi passé, t'es parti du Carré, tu seul, à peu près vers six heures et d'mie, sept heures. Parsonne sait pourquoi, apparemment y'avait plein d'prospects qui viraillaient. Parsonne sait si t'avais un rendez-vous ou bendon si t'étais su un call. Pus rien jusqu'à à peu près minuit. Après c't'heure-là, y'a du monde qui t'ont vu au Lorelei, chez Bud's, au Tropicana, au Taureau pis au Rocambole. T'as r'fusé d'parler à à peu près tout l'monde pis y'a ben des filles qui ont pensé qu'tu v'nais d'faire le motton ou bedon qu't'étais soit su l'acide soit su d'la mescaline cinq étoiles. Si y'avait eu un courant d'air, apparemment, tout l'monde aurait eu peur qu'les pieds t'partent d'à terre tellement t'avais l'air hyper.

Après ça, t'es parti pour le Carré. Parsonne sait si t'as pogné ou ben non. Parce que tout l'monde est parti quand y a commencé à mouiller. Y disent qu'y t'ont pas vu. Toi, tu dis qu't'as ramassé deux fois.

Pus d'nouvelles de toi jusqu'à samedi soir. Y'a Patrick, une de tes bottes habituelles, mais pas un client, un aut' commercial, qui dit qu'y a essayé d't'app'ler au moins vingt fois, pis qu'ça répondait jamais. Y est passé chez vous samedi matin pis y'avait pas un son. Y se d'mande où c'est qu't'es passé. Pis y a jamais entendu parler d'l'aut', de Claude. Parsonne en a jamais entendu parler.

Samedi soir, à onze heures et d'mie, quelqu'un appelle au quartier général pis dit qu'y'a un gars mort au 8544 Casgrain. On arrive là, pis y'a un gars flambant nu, étendu su l'dos, su l'plancher d'la cuisine, la gorge ouvarte. Su'a table, y'a deux assiettes, des verres à vin pis une bouteille neuve d'à peu près quinze piasses. Le monde qui t'aiment pas disent que t'es ben cheap. Dans les assiettes, y'a d'la viande pis des légumes avec du sang qui a r'volé par-dessus. D'après les gars du laboratoire, la viande était déjà froide quand l'sang est arrivé d'sus. Tes empreintes partout.

Y avait vingt-deux ans pis y vient d'Sainte-Foy. Ça fait deux ans qu'y vivait tu seul à Montréal. Étudiant en lettres à l'Université de Montréal. Membre du R.I.N. Sa blonde...

LUI

Hein?

L'INSPECTEUR

... travaille à la permanence. A l'a failli parde connaissance quand on est allés la voir.

LUI

Sa quoi?

L'INSPECTEUR

Sa blonde.

LUI

C'est pas vrai. C'pas vrai. Vous dites ça pour me faire marcher.

L'INSPECTEUR

C'est pas tout l'monde que ça amuse, faire marcher les aut', chose. Tu veux pas parler, too bad. J'te fais l'résumé pis après ça on paq' nos p'tits pis on va finir ça dans mon bureau. J'n'ai plein l'cas'.

LUI

C'est pas vrai. Dites que c'est pas vrai.

L'INSPECTEUR

R'viens-en, calvaire. C'est pas l'seul gars en ville à avoir une blonde.

On r'lève les empreintes: les siennes pis celles de deux aut' personnes: sa blonde pis toi. Elle, a nous les a données. Pis a fait dire que celui qui a faite ça est un malade. C'est pas moi qui vas aller la contredire. Pis j'te conseille pas d't'essayer non plus. Les tiennes, on les a pris su'a tasse dans laquelle a été servi le premier café que monsieur s'est faite apporter.

LUI

Comment qu'a s'appelle?

L'INSPECTEUR

Qui ça?

LUI

La blonde.

L'INSPECTEUR

Oh non, pit', toi tu poses pus d'questions. Toi, à partir d'asteur, tu réponds aux questions. Autrement, tu farmes ta grand gueule pis t'écoutes c'que l'grand monde te disent.

LUI

Comm...

L'INSPECTEUR

Écrase.

Au moins, tu l'connaissais pas assez pour savoir qu'y avait une blonde. C'est toujours ça d'bon à savoir.

On continue. À zéro heure quarante-cinq, la même nuit, la même parsonne qui a appelé pour nous parler du gars mort rappelle : c'est toi. Tu nous dis qu't'appelles du bureau du juge Gérard Delorme, au palais d'justice. Que c'est toi qui as tué l'gars. Pis qu'tu nous attends là, pis d'pas essayer de t'sortir de d'là d'force parce que t'as déjà toute conté à un journaliste des chiens écrasés du Montréal-Matin pis qu'y est d'accord pour rien sortir su l'histoire tant qu'y t'verra pas êt' sorti d'force du bureau. Pis que si y t'arrive queuqu'chose, le juge saute. Toute c'qu'on sait d'pluss à l'heure qu'il est, c'est qu't'avais les clés pour entrer icitte par en arrière pis qu'c'est ça qu't'as faite. Pis que si on essaye de faire farmer la gueule au gars du journal ou ben si on touche à son photographe, toute l'monde va s'mett' à crier à la brutalité policière. Pis qu'c'est pas l'temps avec toute le monde qu'y'a en ville. As-tu pensé à toute ça tu seul ? On a jusqu'à cinq heures à soir pour leu sortir une explication qui a d'l'allure. Pour à matin, ils avaient leu front page de prête anyway avec les party d'la fin d'semaine. Mais là, les party sont finis pis y charchent queuqu' chose de gras pour leu front page de d'main matin. Du juge, ça les tente en viarge. J'te dis que l'timing, tu connais ça toi, hein ? (*Soupir.*) O.K. Depuis hier matin, on est icitte. Pis toute c'que j'sais d'pluss c'est qu'chez vous, la sonnette était arrachée pis l'téléphone avec. Tu restes dans un taudis d'la rue Saint-Dominique, ent' De Montigny pis Ontario. T'as appelé d'chez ta voisine que t'as knockée avant d'partir en y laissant d'quoi se stoner la bine pour jusqu'à Noël. C'est ben jus' si a s'souv'nait d'son nom. (*Hurlant:*) Pour l'amour du calice, qu'est-cé qu'tu veux?

LUI

Le juge le sait, d'mandez-y.

L'INSPECTEUR
(*froidement*)

Tu me r'dis ça encore une fois, une fois, pis j'te dévisse la tête.

J'sais pas pourquoi tu y as faite la passe, à ton scribouilleux. J'sais pas qu'est-cé qu'tu y voulais. Ou bendon qu'est-cé qu'y t'voulait, lui. Y'a rien. Rien. Y'a pas d'chance que vous vous soyez rencontrés nulle part à part d'au coin d'Peel pis Sainte-Catherine à l'heure du trafic. C'tait un beau gars. Cultivé. J'vois pas pantoute qu'est-cé qu'y pouvait faire avec un trou d'cul comme toi. Y s'dopait pas. Y savait boire. Y sortait pas dans 'es clubs, autant qu'on peut savoir pour le moment. Ses voisins ont toutes e'r'viré su l'top quand y nous ont vus arriver a'ec l'ambulance pis l'sortir abrillé. Qu'est-cé qu't'allais faire, le soir du centenaire du Canada, chez un gars qui reste à Villeray, qui allait trois fois par semaine porter à souper à sa vieille voisine d'en d'sous? Bout d'criss.

Tout c'qu'on sait, c'est qu'vous vous voyez depuis au moins un mois mais y'a même pas moyen d'savoir exactement pourquoi parce qu'y écrivait son journal en télégrammes pis qu'c'est rien que des rapports à tous les romans possibles et imaginables. Il faudrait r'virer la moitié d'la bibliothèque municipale à l'envers pour comprend' un quart de page. La seule affaire qu'on est sûrs, c'est qu'à partir du premier...

La petite porte s'ouvre. Entre LE STÉNOGRAPHE avec un petit sac. Il le dépose sur le pupitre, en tire un petit vaisseau de crème, des sachets de sucre, un verre de styrofoam. Il se prépare à découvrir le gobelet pour préparer le café à son patron mais celui-ci lui fait signe de la main de sortir en vitesse. LE STÉNOGRAPHE sort en refermant la porte sans bruit.

L'INSPECTEUR

Tout c'qu'on sait, c'est que ton nom était pas là avant, pis qu'à partir d'à peu près le premier juin, y a un Yves qui est là à tou'es lignes, quésiment.

LUI

T'à l'heure, vous avez dit «à tou'es pages»...

L'INSPECTEUR

Qu'est-cé qu'ça t'change? C'est qui, c'gars-là, pour toi? Y voulait-tu écrire un liv' su toi?

Temps. LUI ne répond pas.

L'INSPECTEUR

Quand l'inspecteur qui est allé voir sa blonde y a d'mandé si ça s'pouvait qu'y aye déjà couché avec un gars, la mâchoire a failli y décrocher tellement qu'le hurlement a parti fort. Y a pas osé y d'mander d'détails. Y gardait un cahier où c'qu'y écrivait toutes les dettes qu'y avait, pis les noms avec les détails de tout l'monde qui y doivent de l'argent. Même sa blonde est d'sus. Mais pas toi.

Temps.

L'INSPECTEUR
(*appelant*)

Latreille.

La petite porte s'ouvre. LE POLICIER entre. Tire la porte derrière lui.

L'INSPECTEUR
(*montrant LUI*)

Y a envie d'pisser. Ramenez-moi-lé après.

LUI

Moi ? J'ai pas...

L'INSPECTEUR

Dehors.

LUI et LE POLICIER sortent.

L'INSPECTEUR
(*interrompant leur mouvement*)

Envoyez-moi Guy. Hey ?

LE POLICIER

Oui ?

L'INSPECTEUR
(*montrant le téléphone*)

Faut-tu composer neuf ?

LE POLICIER

Oui.

LUI et LE POLICIER sortent. La porte se referme sur eux. L'INSPECTEUR reste assis un moment. Puis se lève. S'étire. Il revient au pupitre. Décroche le téléphone et signale un numéro. Pendant le début de sa conversation, il prépare son café.

L'INSPECTEUR
(*au téléphone*)

Allô. (...) Mort. Toi? (...) Ben oui. (...) Oui. Qui c'est qui t'a prévenue? Dupras? (...) Hum hum. (...) Oh, je l'sais pas. (...) J'imagine qu'à cinq heures, j'devrais avoir une idée du temps qu'ça peut prend'. (...) Je l'sais. Je l'sais. Mais vas-y tu seule. Moi, de toute façon, j'ai pas dormi pantoute. (...) J'te cont'rai ça. (...) Ben non, y'a pas d'problème. (...) Ben oui. (...) Ben oui. (...) Ben oui. (...) Non. (...) Ouan, mais j'aimerais autant pas. Si on réussit à finir pas trop tard, j'appellerai avant d'partir. (...) Non, j'peux pas. (...) C'est pas mon numéro pis y faudrait qu'tu passes par une opératrice. (...) Ben oui, chus à Montréal, qu'est-ce tu penses? (...) Oui, oui. (...) Ouan. (...) Le mieux, c'est qu't'appelles Dupras ou ben son remplaçant, si jamais y'a queuqu' chose, lui y sait où me r'joind'. (...) Bye.

L'INSPECTEUR raccroche. Pendant l'appel, LE STÉNOGRAPHE est rentré.

LE STÉNOGRAPHE

Pis?

L'INSPECTEUR

Pis? Pis rien. On dirait que pluss ça va, pire c'est. J'comprends rien. Rien d'nouveau?

LE STÉNOGRAPHE

Janine a quésiment fini de r'garder l'cahier de comptes. Y'a toute le détail de c'qu'y dépensait depuis un an. Y commençait à avoir des problèmes de fonds, j'pense. Fas que y s'serrait la ceinture. Dans les lettres, y'en a une de sa mère, pas matchée, qui parle d'un drame, on sait pas quoi. Depuis c'temps-là, j'pense qu'les vieux ont serré la vis. En tout cas, d'après l'état d'ses dépenses depuis la fin d'l'été passé, y'a pas assez d'trous ou d'vagues pour qu'y aye pu s'payer celui-là. (*Il indique la petite porte.*) Tou'es jours où c'qu'y en parle sans qu'ça paraisse. Y avait à peu près trois mille en banque. Plus des bons, payés par les parents. Dans 'es poches de ses culottes, y avait au-d'sus d'cent piasses cash. Pis en r'vendant sa mont', j'pourrais m'payer six mois d'loyer. Rien d'aut'.

Temps.

L'INSPECTEUR

Y est quelle heure?

LE STÉNOGRAPHE

Ent' moins dix pis moins cinq.

L'INSPECTEUR

Sa sœur?

LE STÉNOGRAPHE

Rien su elle. Accotée avec un gars, à Montréal-Nord, depuis trois ans. A l'a quatre ans d'pluss que son frère. La mère est morte en cinquante-sept. Mannequin. C'est arrivé dans un bureau de Radio-Canada,

La mère d'Yves est mannequin, morte ds un bureau de Radio-Canada, alcoolique, s'est saoûlée et cognée la tête sur le coin d'un bureau.

LE STÉNOGRAPHE — Ent' moins dix pis moins cinq.
(Robert Lalonde)

en pleine nuit, un vendredi soir. A l'a été trouvée par la femme de ménage, le samedi matin. C't'ait un bureau d'la haute direction. On a rien d'pluss. Y'a eu des ord' officieux d'Ottawa pour qu'ça arrête là. Dans les journaux, y ont parlé de crise cardiaque. Seulement a l'avait trente-six ans. Pis pas d'problèmes de cœur. Mais alcoolique. Apparemment, a d'vait pas êt' tu seule dans l'bureau. Y ont bu. Est tombée pis a s'est cognée. Le bonhomme a dû freaker, y a sacré son camp. Hémorragie.

L'INSPECTEUR

Pis l'père?

LE STÉNOGRAPHE

Cancer, y'a deux ans.

L'INSPECTEUR

(*soupire, puis*)

Rien d'aut'?

LE STÉNOGRAPHE

Ouan. C'était une espèce d'ingénieur. Conseiller en queuqu' chose. Ça swignait pas mal. Ben des contacts. Ben des chums, surtout à Québec pis surtout a'ec les Libéraux. Y a été malade ben longtemps.

L'INSPECTEUR

La sœur, l'avez-vous r'joint?

LE STÉNOGRAPHE

Est en vacances. Pas moyen d'savoir où.

L'INSPECTEUR

Y est-tu au courant, tu penses?

LE STÉNOGRAPHE

En tout cas ses voisins, à elle, le connaissent pas. Y savent qu'a l'a un frère mais y pensent pas l'avoir jamais vu. La photo leu dit rien.

L'INSPECTEUR

Y'a parsonne d'aut'? Des amis, d'aut' parents?

LE STÉNOGRAPHE

Oui, mais y'a rien à apprend' de c'côté-là. Les grands-parents, du bord du père, sont encore en vie mais y leur parle pus depuis qu'y est mort. Même affaire a'ec les onc' pis les tantes. Y'a personne d'la gang qui l'a vu depuis deux ans. Le grand-père maternel est mort en 56. Quand est morte, la mère, était en chicane avec sa gang à elle. Une affaire de testament. La darnière fois qu'la grand-mère l'a vu, lui, c'était à l'enterrement d'sa fille.

L'INSPECTEUR

Pas d'amis, pas d'blonde?

LE STÉNOGRAPHE

À part le gars du Carré, rien. Le seul aut' contact possib' qu'on aurait, c'est la voisine. Mais a dit qu'a sait rien.

L'INSPECTEUR

Qui c'est qui y a parlé?

LE STÉNOGRAPHE

Dupras.

L'INSPECTEUR

Qu'est-cé qu'y en pense? Ça vaut-tu la peine de forcer?

LE STÉNOGRAPHE

Y l'sait pas. Mais y a l'feeling que c'est l'genre de gars qui, si toi t'appelles pas, c'est pas lui qui va appeler. Y'a pas ben ben d'espoir qu'on trouve rien autour si lui nous donne pas les morceaux.

L'INSPECTEUR

O.K. Pis rien d'aut' su l'aut', à part le foin?

LE STÉNOGRAPHE

Ses parents.

L'INSPECTEUR

Oui.

LE STÉNOGRAPHE

On leur a pas encore e'r'parlé. Y sont su l'choc. Y nous croyent pas. C'est des gros canons. Lui, y est dans l'industrie forestière. Puis l'transport. Doublé sa fortune avec la Manic. Pis elle, d'une vieille vieille famille d'la haute-ville. J'pense que si on touche à ça, on s'fait taper su'es doigts.

L'INSPECTEUR

Va donc expliquer ça aux gars du Montréal-Matin. Ou bedon au juge. Lui, comment c'qu'y va?

LE STÉNOGRAPHE

Pas d'nouvelles. Y répond pus au téléphone. Pis sa femme non plus. Son secrétaire fait dire qu'y a décidé de rien changer à son horaire pis qu'y va êt' ici comme prévu, à et d'mie.

L'INSPECTEUR

T'as pas réussi à le r'joind', lui?

LE STÉNOGRAPHE

Pas moyen. Y fait dire que si c'est pour sauter, qu'ça saute, mais...

L'INSPECTEUR

Quoi? Qu'est-cé qu'y'a?

LE STÉNOGRAPHE

Le ministre a appelé. Y veut pas que rien sorte. Rien. C'est Dupras qui s'est faite parler dans l'cas'. Y en shakait encore. L'aut' était enragé noir. Y a parti comme une balle dès qu'Dupras a décroché, y a même pas eu l'temps d'dire qu'y était pas vous. Y a rien qu'y s'est pas fait dire.

L'INSPECTEUR

Hostie. Pourquoi c'tu me l'as pas dit avant?

LE STÉNOGRAPHE

Y a appelé pendant qu'j'étais à binerie.

Temps.

L'INSPECTEUR

Pis les rats, à porte, on a rien à leu donner en échange?

LE STÉNOGRAPHE

Non. J'y ai pensé. J'ai d'mandé d'êt' prév'nu si y arrivait queuqu' chose oùsqu'on pourrait leur offrir de l'inédit. Mais y'a rien pantoute. Des p'tits accidents. Une bonne femme qui s'est faite...

L'INSPECTEUR

O.K. O.K.

LE STÉNOGRAPHE

De toute manière, pour leur enl'ver l'goût d'un meurt', d'un juge pis d'un commercial su'a même page, j'pense que ça leur prendrait au moins une bombe à l'Expo.

L'INSPECTEUR

(...)

LE STÉNOGRAPHE

Au Montréal-Matin, y'a pas personne qui a dit un mot, y veulent pas s'faire voler leu tour. On a faite prév'nir les boss des aut' de s'la fermer. J'sais que La Presse pis la plupart des radios sont prêts à rester tranquilles tant qu'on touchera pas à personne. Y disent que si on trouv' une façon d'enterrer ça, c'est tant mieux pour nous aut', mais que si on est obligés de forcer pour faire taire le gars des chiens écrasés, y s'mettent à crier.

L'INSPECTEUR

Bonne fête.

LE STÉNOGRAPHE

Pardon?

L'INSPECTEUR

Laisse faire. Ah, la rue d'la clôture, d'après c'qu'y m'a dit, ça doit êt' Lansdowne. Envoye quelqu'un chercher si y'a une clôture verte en bois ent' Sherbrooke pis l'rond-point, su l'coin d'Saint-Antoine. Ça devrait êt' du côté est.

LE STÉNOGRAPHE

Tu suite.

L'INSPECTEUR se lève et s'approche de la carte.

L'INSPECTEUR

Ç'a pas d'bon sens.

LE STÉNOGRAPHE

Quoi?

L'INSPECTEUR

Si t'avais envie d'app'ler quelqu'un, tout d'un coup, toi, en pleine nuit, pis qu't'étais su Lansdowne en haut d'Sherbrooke, te donnerais-tu la peine de courir jusqu'au Forum pour trouver un téléphone public?

LE STÉNOGRAPHE

Pas en plein été, en tout cas.

L'INSPECTEUR

Hein?

LE STÉNOGRAPHE

En hiver, si c'est la place la plus proche que j'connais, p't'êt' ben. Mais pas en plein été: j'y irais plus lentement, pis j'essayerais d'en trouver un plus proche parce que j'sais qu'c'est fermé, au Forum, de toute façon.

L'INSPECTEUR
(*se détournant de la carte*)

Ouan.

L'INSPECTEUR revient lentement s'asseoir. LE STÉNOGRAPHE le suit du regard. Temps.

L'INSPECTEUR

Tu voulais savoir où c'est qu'on est rendus? On est pognés ent' un juge qui s'en crisse, qui est défaite comme une mitaine; un minist' qui veut pas qu'y sorte un mot, pour pas laisser salir la Justice; un chien enragé qui court après son os; une indépendantiste qui, anyway, croira pas une des histoires qu'on va pouvoir inventer pis va faire un scandale en criant partout que c'est pas vrai, que son chum était pas une tapette, que c'est un frame-up; pis les parents du gars, qui veulent pas qu'y en sorte un mot pour pas faire salir leu nom. Aimes-tu ça autant qu'moi? O.K. Continue à t'occuper des journaux. Fais-les toutes prév'nir. Pis fais charcher 'a clôture. Pis...

LE STÉNOGRAPHE

Quoi?

L'INSPECTEUR

Non, rien. J'pensais que j'v'nais d'avoir une idée mais je l'ai perdue. Go.

LE STÉNOGRAPHE sort en refermant la petite porte derrière lui. Moment d'immobilité. La petite porte s'ouvre. LUI entre. La porte se referme. Au bout d'un moment, L'INSPECTEUR se redresse. Aperçoit le garçon.

L'INSPECTEUR
(*en marchant*)

Ça fas-tu longtemps qu't'es là?

LUI

J'viens jus'.

L'INSPECTEUR

Pourquoi qu't'as arraché ta sonnette pis ton fil de téléphone?

LUI

J'voulais pas êt' dérangé.

L'INSPECTEUR

Oui, ça j'm'en doute. Mais pourquoi? Les as-tu arrachés tu suite en rentrant chez vous?

LUI

Non.

L'INSPECTEUR

Quand, d'abord?

LUI

Vendredi matin.

L'INSPECTEUR

À quelle heure?

LUI

J'm'en rappelle pas.

L'INSPECTEUR

Te rappelles-tu pourquoi?

LUI

C'est flou.

L'INSPECTEUR

Penses-y.

LUI

J'me suis réveillé vers neuf heures, neuf heures et quart, pis...

L'INSPECTEUR

À quelle heure t'étais rentré?

LUI

Vers cinq heures et d'mie, six heures.

L'INSPECTEUR

Directement?

LUI

Comment ça, directement?

L'INSPECTEUR

T'es pas allé mangé?

LUI

Ah non, j'avais pas faim.

L'INSPECTEUR

T'as marché?

LUI

Oui.

L'INSPECTEUR

Pourquoi qu'ton client est pas allé te r'conduire? C'était la première fois?

LUI

C'est pas son genre. Après êt' v'nu, surtout saoul, y a honte. Pis y s'choque. Quand y vient, y a la face rouge comme une fraise, pis y res' de même après, tell'ment qu'y s'choque. D'habitude, y jette l'argent sur mon linge pis y m'met à porte.

L'INSPECTEUR

Combien d'temps ça t'a pris, t'rend' chez vous?

LUI

Oh, peut-êt' une quinzaine de menutes.

L'INSPECTEUR

Tu d'vais commencer à êt' pas mal fatiqué.

LUI

Non, pas trop. Mais j'avais ben mal à tête.

L'INSPECTEUR
(*regardant la carte*)

Marches-tu vite?

LUI

Moyen.

L'INSPECTEUR

Un rayon d'quinze menutes autour de chez vous, c'est où, ça?

LUI

Laissez faire. J'vous l'dirai pas pis vous l'trouv'rez pas tu seuls.

L'INSPECTEUR
(à *LUI*)

Ça non plus, on a pas l'droit de l'savoir?

LUI

Chus arrivé chez nous vers cinq heures et d'mie. Y avait mouillé pendant la nuit, fas que là, y faisait frais. Pis le ciel était dégagé. C'était ben beau.

L'INSPECTEUR

Tu t'es couché tu suite?

LUI

Oui.

L'INSPECTEUR

Étais-tu stoned?

LUI

Stoned? Pourquoi vous me d'mandez ça?

L'INSPECTEUR

Laisse faire pourquoi pis réponds, veux-tu?

LUI

N... Non, j'tais pas stoned.

L'INSPECTEUR

T'es-tu endormi tu suite?

LUI

Non.

L'INSPECTEUR

Au bout d'combien d'temps?

LUI

P't'êt', j'sais pas moi, une demi-heure. Peut-êt' pluss.

L'INSPECTEUR

Pis tu t'es réveillé vers neuf heures?

LUI

Peut-êt' neuf heures et d'mie. J'ai pas faite attention pis de toute façon mon horloge avance pis j'me rappelle jamais quand est-ce que j'l'ai r'mis à l'heure. Fas que je r'garde pas vraiment l'aiguille des menutes. Jus' celle des heures, pis j'traduis à peu près.

L'INSPECTEUR

O.K. Ent' neuf heures, neuf heures et d'mie, tu t'es réveillé. Neuf heures, neuf heures et d'mie du matin?

LUI

Ben oui.

L'INSPECTEUR

T'es sûr?

LUI

Ben oui.

L'INSPECTEUR

À quelle heure tu t'étais l'vé, la veille?

LUI

Vers midi.

L'INSPECTEUR

Pis ent' midi, le jeudi, pis six heures du matin, vendredi, t'as pas dormi?

LUI

(...)

L'INSPECTEUR

J'te parle, chose.

LUI

Quoi?

L'INSPECTEUR

J't'ai d'mandé si t'as dormi ent' le moment où c'tu t'es l'vé jeudi matin pis quand tu t'es couché, vendredi matin.

LUI

Pas pour la peine.

L'INSPECTEUR

Comment ça, pas pour la peine?

LUI

Non. J'ai pas dormi.

L'INSPECTEUR

Pis tu t'es couché à six heures pis tu t'es pas endormi avant six heures et d'mie, sept heures?

LUI

Ben oui. Ça m'arrive souvent. Surtout l'été. La lumière m'empêche de dormir. Pis j'ai pas d'rideaux, j'haïs ça. C'est pour ça que j'res' dans un troisième avec pas d'voisins en avant pis en arrière. En avant, c'est l'plan Dozois pis en arrière, c'est un entrepôt qui donne su'a Main.

L'INSPECTEUR

Qu'est-cé qu'tu fais, quand tu peux pas dormir? Un p'tit joint, peut-êt'?

LUI

Des fois, oui. Mais pas c'te fois-là.

L'INSPECTEUR

Pourquoi?

LUI

Parce que j'avais pas envie, c'est toute. J'me suis passé d'l'eau dans face pis chus allé m'coucher.

L'INSPECTEUR

C'est toute?

LUI

Oui. Non, j'ai lu un peu.

L'INSPECTEUR

Quoi?

LUI

Un... Un liv' qu'un d'mes amis m'a passé. Mais j'tais trop fatiqué pour comprend' de quoi ça parlait. Fas que j'l'ai r'mis là pis j'ai compté 'es moutons.

L'INSPECTEUR

Pis là tu t'es endormi?

LUI

Oui. Ça a pas dû êt' ben ben long.

L'INSPECTEUR

De quoi ça parlait, l'liv'? Te rappelles-tu du titre?

LUI

Non. J'n'ai jus' lu un boutt. Pis j'comprenais rien. J'viens d'vous l'dire.

L'INSPECTEUR

Pis tu t'es réveillé vers neuf heures?

LUI

Oui.

L'INSPECTEUR

Pour un gars qui, à sept heures, était trop fatiqué pour comprend' c'qu'y lisait pis qui avait pas dormi depuis dix-huit heures, ça fait pas une ben grosse nuit. Qu'est-cé qui est arrivé, le téléphone a sonné?

LUI

Non, j'me suis réveillé tu seul. J'vous l'ai toute raconté, hier soir.

L'INSPECTEUR

Oui. Tu nous as raconté que t'avais pas dormi longtemps. Mais tu nous avais pas dit qu't'avais arraché ta sonnette pis ton fil de téléphone. On l'arait jamais su si on était pas allés chez vous.

LUI

J'me suis réveillé parce que j'avais mal au vent'.

L'INSPECTEUR

Quelle sorte de mal de vent' ?

LUI

J'avais comme une barre dans l'vent', au niveau du nombril. Ça faisait ben mal. J'me sus réveillé parce qu'en dormant, j'ai dû me r'virer su l'vent' pis ça a faite trop mal. J'avais ben chaud. Pis. Pis c'est comme si j'avais pas dormi pantoute. C'est comme si j'étais encore plus fatiqué qu'en m'couchant. Pis j'bavais. J'sais pas comment ça s'fait. J'me sentais ben malade. J'arrivais pas à m'concentrer sur rien. Y'avait rien qu'des images qui flottaient, comme. Mais chus pas fou.

L'INSPECTEUR

Énarve-toi pas. J'ai rien dit.

LUI

Non, vous avez rien dit. Mais vous savez pus quel bord vous garrocher pour trouver n'importe quelle raison pour aller raconter aux journalistes que chus fou, pis. Pis...

L'INSPECTEUR

Pis quoi?

LUI

Je l'sais pus. Chus pus capab' de penser. Chus trop fatiqué.

L'INSPECTEUR

As-tu encore mal au vent'?

LUI

Non, quésiment pus.

L'INSPECTEUR

O.K. Pis c'est-tu en te l'vant qu't'as arraché les fils?

LUI

Non. J'ai fini par me r'coucher. Pis par me rendormir. Mais le même genre de sommeil qu'avant que j'me réveille: j'fatiquais plus que d'aut' chose. J'me suis réveillé souvent, en gémissant.

L'INSPECTEUR

Comment ça?

LUI

C'est dur à expliquer. J'me réveillais, pis j'savais pus au jus' si j'étais réveillé ou si j'dormais encore ou ben si c'est avant que j'étais réveillé pis si là j'dormais. Pis mon vent' me faisait de plus en plus mal. Un moment donné, chus allé pisser pis c'est là que j'ai pensé au téléphone. J'ai appelé chez eux.

L'INSPECTEUR

Chez qui?

LUI

Le gars.

L'INSPECTEUR

Savais-tu son numéro par cœur, ou si tu l'avais écrit queuqu' part?

LUI

Ça répondait pas. Ça m'a mis en criss. Pis j'ai arraché l'fil. Pis, jus' le temps d'faire le geste, y m'a pris l'envie de... de pus êt' là pour personne. Que pus personne puisse me r'joind'. De disparaît'. Pis, sans penser, chus allé arracher la sonnette. Était pas solide, c'est moi qui l'a installée. Y'en avait pas quand j'ai déménagé là. Pis j'ai débranché la radio pis la T.V. Après ça, chus allé me r'coucher pis j'ai dormi un peu mieux.

L'INSPECTEUR

Pis après?

LUI

Après? Rien. J'ai dormi. J'ai arrêté d'dormir. J'me sus r'couché. R'levé. R'couché. Rendormi. Jusqu'à samedi soir.

L'INSPECTEUR

À quelle heure?

LUI

Je l'sais pas. Mon cadran était arrêté. J'avais oublié de l'crinquer. J'savais même pas qu'on était samedi. Pis j'me posais même pas la question. Ça m'intéressait pas de l'savoir, c'est toute.

L'INSPECTEUR

Pourtant, t'as r'gardé l'cadran puisque tu t'es aperçu qu'y était arrêté.

LUI

Oui, mais rien qu'plus tard. Vers onze heures.

L'INSPECTEUR

Pis t'es pas sorti d'chez vous, ent' vendredi matin pis samedi soir?

LUI

Non.

L'INSPECTEUR

T'as pas mangé?

LUI

J'aurais pu manger chez nous.

L'INSPECTEUR

Tu nous as dit, hier après-midi, que ça t'faisait rien d'manger des sandwichs, que t'es habitué, que tu manges jamais chez vous pis que quand t'as pas beaucoup d'argent, c'est ça qu'tu manges.

LUI

Mais là, j'aurais pu avoir queuqu' chose...

L'INSPECTEUR

Ah, écoute, e'r'commence pas, veux-tu? Y'a rien dans ton frigidaire. Pis dans ta poubelle, y'a rien que des kleenex, pis des enveloppes, pis des pamphlets d'magasins déchirés, pis des...

LUI

Non. J'ai pas mangé. Pis j'avais pas faim non plus. J'vous l'ai dit: j'avais mal au vent'.

L'INSPECTEUR

Toujours pas d'dope?

LUI

Non.

L'INSPECTEUR

Qu'est-cé qui t'a rendu malade, tu penses?

LUI

J'sais pas.

L'INSPECTEUR

Bon. Pis à onze heures?

LUI

J'ai décidé qu'c'était assez. Qu'y fallait que j'sorte. J'ai pris une douche. Chus allé manger une coup' de hot dogs. Chus r'venu chez nous. J'vous ai appelé. J'ai appelé le journaliste chez eux. Y était pas là. J'ai appelé au journal. J'y ai raconté l'histoire. J'me suis en v'nu ici. J'l'ai faite rentrer, avec son photographe pis après ça, j'vous ai rappelé.

L'INSPECTEUR

T'avais son numéro chez eux?

LUI

Oui.

L'INSPECTEUR

Comment ça s'fait?

LUI

Pensez-vous vraiment que j'vas répond' à ça?

L'INSPECTEUR

Pis t'avais son numéro au journal aussi? Y a du front, l'gars.

LUI

Le liv' du téléphone, c'est pas faite pour les chiens. Pis j'sais lire.

L'INSPECTEUR

Pourquoi tu veux pas d'avocat?

LUI

J'n'ai pas besoin.

L'INSPECTEUR

Qui c'est qui t'dit qu'le juge va êt' capab' d'enterrer c't'histoire-là? Pis qu'y en a seulement envie?

LUI

J'ai jamais dit qu'y était capab'...

L'INSPECTEUR

Ben non. Ben non. T'as rien qu'dit que c'était toi qui avais tué l'gars d'la rue Casgrain. Que tu te livrais mais qu'y fallait qu'on vienne te charcher icitte, pis que tu sortirais pas tant qu'le juge aurait pas accepté d'te rencontrer, pis qu'le journaliste te servirait d'garantie. C'est ben certain que pour voir du chantage là-d'dans, il faut avoir l'esprit ben mal tourné, hein ?

LUI

Pourquoi vous voulez absolument mett' tou'es morceaux ensemble ? Y'a quelqu'un qui est mort. Ça doit vous prend' un coupab' ? Vous l'avez. Qu'est-cé qu'y vous faut d'pluss ?

L'INSPECTEUR

Es-tu épais pour vrai, ou ben si tu fais éxiprès ?

LUI

Ben dans c'cas-là, on attend l'juge pis on verra.

L'INSPECTEUR

J'ai entendu ben des histoires de fous, dans ma vie, mais celle-là, c'est 'a cerise su l'sundae : un gars qui s'déclare coupab', qu'on aurait jamais pu trouver parce que parsonne aurait jamais pu penser qu'y connaissait 'a victime, pis qui, à place de s'farmer 'a gueule, vire la ville à l'envers pis veut faire chanter un juge, pour que l'juge le disculpe, après qu'c'est lui qui s'est livré.

LUI

Vous compr...

L'INSPECTEUR

Pis, en pluss, qui avait même pas d'raison pour tuer. Y a pas touché à l'argent qu'l'aut' avait dans ses poches. Y a pas touché à rien. Y l'tue, pis après ça, y s'en va prend' un coup dans l'bas d'la ville. Y a même pensé, un boutt, aller cruiser su'a montagne.

Y disparaît, pis après ça, les premières nouvelles qu'on a, y nous attend au palais d'Justice. Pis y nous fait baver pendant trente-queuques heures à attend' que l'juge arrive. Pis y veut pas qu'on sache son nom. Pis y veut pas qu'on dise le nom du gars qu'y a tué d'vant lui. Pis y veut même pas nous dire pourquoi.

Sacrament, c'est-tu moi qui est fou ou bedon si y'a queuqu' chose qui marche pas dans ta tête à toi? Chus supposé partir en vacances, moi, à soir, pas m'faire slaquer.

On r'commence.

LUI

Ah non, pas encore.

L'INSPECTEUR

Envoye.

LUI

Ah, écoutez.

L'INSPECTEUR

J'ai dit: envoye. Sorti d'chez eux à...

LUI

Neuf heures.

L'INSPECTEUR

Après?

LUI

J'ai pris l'métro jusqu'à Bonaventure. J'me suis promené. J'suis allé jusqu'à Westmount.

L'INSPECTEUR

Pis de d'là?

LUI

J'ai couru.

L'INSPECTEUR

Où c't'allait?

LUI

Euh... au Forum.

L'INSPECTEUR

Faire quoi? Au Forum, en plein été, à dix heures et d'mie, le soir d'la fête du Canada?

LUI

Appeler.

L'INSPECTEUR

T'essaye de m'faire accroire que t'as couru tout ça, collant comme y faisait, rien que pour le trip de t'sarvir d'un téléphone du Forum, alors que t'as dû passer devant à peu près quarante cabines téléphoniques pendant ta run?

LUI

Oui. Non. J'sais pus. C'est ça qu'j'ai faite mais pas comme vous l'racontez. De même, ça a pas d'bon sens mais là, ça en avait.

L'INSPECTEUR

You bet. O.K., t'es arrivé au Forum, finalement?

LUI

Oui, mais c'tait barré. Chus allé à la place Alexis-Nihon. J'ai appelé chez eux. Pas d'réponse. J'ai pensé que j'm'étais trompé. J'ai raccroché. J'ai rappelé. Pas d'réponse.

L'INSPECTEUR

Son numéro?

LUI

Vous l'savez aussi bien qu'moi.

L'INSPECTEUR

Répète-le.

LUI

Là, chus r'sorti su'a rue Sainte-Catherine. Le vent était encore plus fort. Y'avait ben du monde. Ça riait. Ça parlait fort. Y'avait du monde avec des p'tits drapeaux du Canada. Y sortaient du métro. Moi, j'avais pas envie d'parler. J'me sentais comme quand j'sors d'une bonne vue: a m'reste dans tête jusqu'à temps qu'j'en parle. Pis j'sais que si j'parle à quelqu'un, j'pourrai pas m'empêcher d'en parler, pis m'a la perdre. M'a perdre le fil. Mais là, c'était même pas une bonne vue. C'était un film policier. Pis c'était la pire scène qui m'restait dans 'a tête. Fas qu'j'ai faite comme j'fais d'habetude, en sortant du cinéma, à Atwater: j'ai marché sur la rue Sainte-Catherine, vers l'est.

L'INSPECTEUR

O.K. Pis dans l'temps qu'tu marchais, avant l'téléphone pis après, t'as pas entendu rien d'particulier? Y'a pas un son, un bruit, qu't'as entendu, qui t'a frappé?

LUI

Non.

L'INSPECTEUR

T'as pas entendu comme des coups d'canon?

LUI

Y est ben fatiquant. À tou'es maudites fois, vous m'posez 'a question, pis à tou'es maudites fois, j'vous réponds la même affaire. Non. J'ai pas entendu d'coups d'canon. Ni d'avion. Ni d'bombe. Ni d'parade de soldats. Pis j'ai pas trouvé d'grenades su l'trottoir.

L'INSPECTEUR

Fas pas l'smat. La premier juillet au soir, y'a eu un gros feu d'artifice su l'île Sainte-Hélène. C'est de d'là que le monde avec des drapeaux r'venaient. On l'a entendu jusqu'au boulevard Métropolitain. Fas que vas-tu m'expliquer comment ça s'fait que toi, en t'prom'nant le long du port, tu l'as pas entendu?

LUI

Non.

J'me disais qu'y était peut-êt' sorti. On s'était rencontrés au Love...

L'INSPECTEUR

(*criant*)

Bon! Y s'sont connus au Love. Ça s'peut-tu? Donc tu l'connaissais?

LUI

Oui.

L'INSPECTEUR

Enfin. Y est à peu près temps. Quand est-ce que vous vous êtes rencontrés, au Love? La veille du premier juin?

LUI

(...)

L'INSPECTEUR

C'est-tu toi, au moins, le Yves qu'y parle dans son cahier?

LUI

(...)

L'INSPECTEUR

Bon, ça y est, y est encore déplogué. Vous vous êtes rencontrés au Love. Après?

LUI

C'est là qu'on s'est connus. Pis j'me disais qu'y était peut-êt' sorti. Chus allé voir. Y y était pas. J'ai faite le tour de tou'es aut' clubs. Y était pas là.

L'INSPECTEUR

As-tu rencontré du monde que tu connais?

LUI

Y'en a au moins quarante.

L'INSPECTEUR

Où c'est qu't'es t'allé, après?

LUI

Au Carré. En principe, j'y avais dit...

L'INSPECTEUR

Quoi? Quand ça? Qu'est-cé qu'tu y avais dit?

LUI

J'y avais dit que j'devais travailler, c'soir-là.

L'INSPECTEUR

Quand est-ce que tu y as dit ça?

Temps.

LUI

L'après-midi, au téléphone.

L'INSPECTEUR
(*de soulagement*)

Wouf.

LUI

Qu'est-cé qu'y'a?

L'INSPECTEUR

Rien, rien. Continue.

LUI

J'y avais dit qu'y'a assez d'touristes en ville pour que ça vaille la peine de faire deux shifts par jour. Y a pas trouvé ça drôle.

L'INSPECTEUR

Pourquoi?

LUI

Ben...

L'INSPECTEUR

Y était jaloux ?

LUI

Non. C'tait une joke plate, c'est toute.

L'INSPECTEUR

Mais vous vous voyiez steady ?

LUI

Ben ? Vous l'savez, vous m'avez dit qu'vous aviez son journal.

L'INSPECTEUR

Laisse faire pis réponds : vous vous voyiez steady ?

LUI

Oui.

L'INSPECTEUR

La bataille a pogné ?

LUI

Non.

L'INSPECTEUR

Ben pourquoi tu l'as tué, d'abord ?

LUI

Comme y était pas chez eux, j'me suis dit que peut-êt' y m'charchait au Carré.

L'INSPECTEUR

Y y était jamais allé t'charcher au Carré?

LUI

Non.

L'INSPECTEUR

Pourquoi? Y haïssait ça?

LUI

Ben non. Vous mélangez toute.

L'INSPECTEUR

Si tu faisais du sens, j's'rais p't'êt' moins pardu. Quelle heure qu'y était, quand t'es arrivé au Carré?

LUI

J'ai entendu le premier last call, au Taureau. Chus parti tu suite. Y'a un gars, un client, qui m'a d'mandé où c'est qu'j'allais. J'y ai dit. Y m'a dit: pas besoin, combien? Mais chus parti pareil. Y est parti après moi, pis y a déboulé les sept huit dernières marches. Y était trop saoul pour se faire mal. Le temps d'marcher jusque-là, y d'vait êt' à peu près trois heures moins dix.

L'INSPECTEUR

À quoi tu pensais?

LUI

J'vous l'ai dit: j'me disais qu'j'avais dû l'manquer. On avait dû êt' dans les mauvais bars aux mauvais moments, pis qu'y viendrait me r'joind' au Carré. J'y avais dit qu'j'y allais.

L'INSPECTEUR

Tu pensais vraiment qu'y était encore vivant?

LUI

Oui. Rendu là, à voir toute c'te monde-là qui buvait, qui riait, qui jasait, qui cruisait, qui tokait pis qui neckait, ça a comme... effacé l'image. Pis j'entendais pus...

Il s'interrompt.

L'INSPECTEUR

T'entendais pus? Qu'est-cé qu't'entendais pus?

Temps.

L'INSPECTEUR
(*plus fort*)

Qu'est-cé qu't'entendais pus?

LUI

Y'avait pas mal de monde, au Carré...

L'INSPECTEUR
(*l'interrompant*)

Qu'est-cé qu't'entendais pus?

LUI

Hein?

L'INSPECTEUR

Niaise-moi pas. T'as commencé à dire queuqu' chose. T'as dit qu'tu voyais l'monde dans l'club pis qu't'entendais pus. Qu'est-cé qu't'entendais pus?

LUI

Toute c'que j'voulais dire, c'est que la musique pis l'monde, ça m'a faite comme si c'était impossible qu'y soye pus là. Eux aut', y z'étaient là hier, pis avant-hier, pis depuis que j'sors dans 'es bars. Lui, y est v'nu après. Ça s'pouvait pas qu'eux aut' soyent encore là pis que lui y soye pus. Les affaires avaient l'air trop vraies pour l'image que j'avais, ça fait qu'a s'est effacée.

Temps.

L'INSPECTEUR

(*prend une profonde inspiration, puis*)

Qu'est-cé qu'tu dirais si j'te disais qu'ta sœur est d'l'aut' bord d'la porte?

Temps.

LUI

(*d'abord interloqué, puis il se détend*)

J'vous rirais en pleine face.

L'INSPECTEUR

Ah oui?

LUI

Ça prend trois jours de char pour se rend' où a va en vacances. Pis les alpinistes apportent pas d'téléphone dans leu sacoches.

Temps.

L'INSPECTEUR

O.K. T'étais rendu au Carré...

LUI

M'en avez-vous faite d'aut', de même?

L'INSPECTEUR

T'étais rendu au Carré.

LUI

...'tendez une menute.

L'INSPECTEUR

Trop tard. T'avais l'temps d'y penser avant. Le Carré.

LUI

L'affaire du journal, c'tait-tu vrai?

L'INSPECTEUR veut prendre une gorgée de son café, auquel il n'a pas retouché depuis son appel à sa femme, mais il est froid.

LUI

Pis l'histoire de sa blonde?

L'INSPECTEUR

A t'énarve donc ben, c'te fille-là?

Temps.

L'INSPECTEUR

On continue. T'étais rendu au Carré. T'es arrivé à quelle heure?

LUI

Le temps d'entend' le premier last call, au Taureau. J'vous l'ai dit, ça fas pas cinq menutes. Le temps d'entend' le last call, de descend' l'escalier pis d'me rend' au Carré.

L'INSPECTEUR

Tu t'es pas arrêté en route?

LUI

Non.

L'INSPECTEUR

T'as pas rencontré parsonne que tu connaissais?

LUI

Non.

L'INSPECTEUR

O.K. T'arrives au Carré. Pis là?

LUI

J'me sus assis sur un banc, proche des calèches.

L'INSPECTEUR

Dans l'Carré?

LUI

Oui. L'allée qui aboutit proche de Peel.

L'INSPECTEUR

Le premier banc su l'bord?

LUI

Oui.

L'INSPECTEUR

Comment ça s'fait qu'tes chums t'ont pas vu?

LUI

Qui c'est qui m'dit qu'c'est pas encore une histoire que vous inventez, ça, qu'mes chums m'ont pas vu ?

L'INSPECTEUR

Parce que si tu leur as parlé, tu l'sais que j'te raconte une baloune. C'est rien que si tu leur as pas parlé que j'peux inventer. T'es ben sûr que t'es allé au Carré ?

LUI

Oui.

L'INSPECTEUR

Comment ça s'fait qu'tes chums t'ont pas vu, d'abord ?

LUI

Parce que d'habetude, j'me promène. Pis j'me tiens plus proche d'la statue.

L'INSPECTEUR

Comment ça s'fait qu't'es pas allé là ?

LUI

Parce que j'avais pas envie, c'est toute.

L'INSPECTEUR

Pourquoi t'avais pas envie ?

LUI

Parce que j'avais envie d'êt' tu seul, c'est simp'.

L'INSPECTEUR

Pourquoi qu't'es allé au Carré, d'abord?

LUI

Parce que j'avais pas envie d'rester au Taureau jusqu'à parade, pis qu'j'avais...

L'INSPECTEUR

La parade? Quelle parade?

LUI

Ben oui: quand l'monde savent qu'le dernier last call arrive pis qu'y vont toutes se r'peigner aux toilettes, se passer d'l'eau dans face pis r'viennent se mett' en rang, le plus proche possible d'la sortie, pour pas manquer ceux qui partent tout seuls. J'appelle ça la parade. J'avais pas envie d'la voir c'te soir-là pis j'avais pas envie d'rentrer chez nous, j'm'endormais pas. Fas qu'chus arrivé au Carré avant tout l'monde pis j'me suis pas mis où j'me mets d'habetude. C'est rien qu'pour ça qu'y m'ont pas vu. J'tais assis su un banc qui r'garde vers Peel.

L'INSPECTEUR

Combien d'temps?

LUI

Pas longtemps.

L'INSPECTEUR

T'es sûr?

LUI

Oui, parce que la gang avait pas commencé à arriver quand chus parti.

L'INSPECTEUR

Combien d'temps?

LUI

Le temps qu'ça prend pour sortir de chez Pepe's pis traverser la moitié du Carré su l'sens d'la longueur.

L'INSPECTEUR

Hein?

LUI

Quésiment aussitôt qu'j'ai été assis, j'ai entendu des hurlements su la rue Peel. J'me suis l'vé. En premier, j'ai pensé que quelqu'un v'nait de s'faire frapper. Mais c'tait pas ça. C'tait une gang d'Américains qui sortaient d'chez Pepe's. Y'en avait six, sept. Pis y avaient ben du fun. Y ont travarsé Peel en arrêtant l'trafic. Y sont rentrés dans l'Carré. En chantant. Y sont allés voir la statue. Y ont faite queuqu' jokes. Pis y s'sont en v'nus vers moi.

L'INSPECTEUR

Pour te parler?

LUI

Non. Y voulaient faire une ride de calèche. Y sont passés d'vant moi. J'tais rassis. Su l'dossier du banc. Y'en avait un ben beau, dans gang. Mais c'était l'plus saoul. Y m'ont toutes e'r'gardé, en passant. Pis y'en a une coup' qui s'sont mis à faire des jokes. J'sais pas qu'est-cé qu'y racontaient. Le beau, y était d'l'aut' bord d'la gang. Y a tassé un d'ses amis pour me r'garder. Y s'est arrêté pis y m'a faite un grand smile. Les aut' continuaient. Y est allé les r'joind'. La gang a commencé une discussion avec le gars d'une des calèches. Pis un aut'. Y'en a pas un qui voulait les laisser embarquer parce qu'y voulaient toutes prend' la même pis y z'étaient trop saouls. Le beau gars a commencé à prend' ça un peu trop au sérieux. Mais y s'en est aperçu tu seul, pis y s'est farmé. Pis y est sorti du groupe. Pis, tout d'un coup, (j'pense pas qu'y savait que j'le r'gardais) y a eu l'air tanné d'êt' avec sa gang. Y avait ben du fun, y s'est engueulé, d'un coup sec y s'est tu, y a faite queuqu' pas d'côté, y souriait, pis la seconde d'après y souriait pus. Y s'est passé les mains dans face. Pis y a r'gardé l'ciel. Pis y s'est mis à faire un tour su lui-même. Pis d'un coup, y m'a vu. Y m'a faite un aut' grand smile. Pis y est v'nu s'asseoir à côté d'moi. Mais su l'banc, pas su l'dossier. Y m'a dit queuqu' chose. J'ai pas compris les mots mais ça avait l'air qu'y s'excusait d'êt' trop saoul pour êt' capab' de t'nir son équilib' su l'dossier. Pis qu'y me d'mandait d'descend' m'asseoir à côté d'lui. C'est ça qu'j'ai faite. Y m'a d'mandé si j'voulais aller chez eux, avec lui. J'y ai dit qu'ça coûtait d'l'argent. Y m'a d'mandé d'y dire combien. J'y ai dit, pis y me l'a donné tu suite. Y m'a pris par le cou pour me faire lever. Y a crié « bye ! » à ses chums pendant qu'on allait vers le trottoir de Peel pour pogner un taxi. Ses chums y ont crié des affaires, mais y écoutait pas. On a pris un taxi jusqu'à Pine pis Durocher. Y commençait à mouiller. Y avait un appartement, là, avec ses chums. C'était celui d'un d'la gang, qui étudie à McGill. Mais y disait qu'on avait l'temps avant qu'y r'viennent. Y m'a pas touché. D'habetude, ça m'énarve les clients qui tètent. J'aime ça short and sweet. Pas quand ça prend deux heures avant qu'y s'passe queuqu' chose. Mais lui, y m'touchait pas pis c'était correct. Y a déplié une carte d'la ville pis y m'a d'mandé où c'est qu'y étaient différentes affaires: le musée d'Cire, des affaires de même. J'y ai dit. Comme y était ben saoul, y s'est mis à m'faire un speech. J'ai compris rien qu'des boutt mais me semb' qu'y parlait des one-night-stands; du monde qui s'watchent pendant des heures, dans les bars, avant de s'dire un mot; du monde avec qui y a pas moyen d'parler, y veulent rien qu'baiser. Y avait l'air tanné. Pis, un moment donné, y a dit: c'est assez, on s'couche-tu? On est allés dans chamb'. Y s'est j'té su l'lit pis y est quésiment tombé endormi. J'l'ai déshabillé pis j'l'ai bordé. Y dormait. J'l'ai r'gardé dormir. Pis j'ai farmé les lumières pis chus parti. (*Temps.*) En laissant l'argent su'a tab'. (*Temps.*) J'avais jamais faite ça. J'me suis toujours dit: y m'ont amené icitte. Asteur, qu'y s'passe queuqu' chose ou non, c'est pas mon problème. C'est comme chez l'dentiste: t'avais rendez-vous; que tu viennes ou qu'tu viennes pas, y t'charge pareil. Mais là, c'tait pas jus'... Y'avait queuqu' chose de changé. Chus sorti. Y mouillait quésiment pus. J'ai marché jusqu'au Carré. J'savais qu'y'avait queuqu' chose qui m'attendait. J'savais pas quoi. Mais y fallait qu'j'y aille.

De toute façon, c'est là, dans chamb', avec le surfer... c'est là que j'me suis rendu compte que j'pourrais pus jamais êt' un s'rin.

L'INSPECTEUR

(...)

LUI

Êt' un s'rin, c'est pas jus' une question d'âge. C'est une façon d'viv'. C'est une façon d'voir la vie. C'est passer à travers la vie avec un p'tit sourire baveux de gars à qui y peut rien qu'arriver c'qu'y'a d'mieux, même si y est dans marde jusqu'aux sourcils. Un p'tit sourire qu'la plupart du monde voyent même pas. Quand ça marche, tu t'étends aux quat' vents, flambant nu, su l'tapis blanc à tête d'ours. Pis quand ça marche pas, tu sacres ton camp, su l'bout des pieds, comme quand tu pars de chez un client, à cinq heures du matin, pendant qu'y dort. En t'disant: bon, lui, y était cheap mais y'en aura d'aut'. Pis en partant avec sa mont', si tu trouves qu'y a pris pluss qu'y a donné.

Temps.

L'INSPECTEUR

Fini?

LUI fait signe que oui.

L'INSPECTEUR

C't'à mon tour. T'as raconté toute c'qui t'passait par la tête. C'est ben jus' si t'es pas r'monté à tes premiers ancêtres à êt' arrivés d'Bretagne. Pis chus pas pluss avancé qu'hier matin. Veux-tu, m'as t'dire qu'est-cé que j'pense de ton histoire, moi? Veux-tu, m'as t'dire qu'est-cé que j'pense que tu veux?

LUI le regarde sans broncher.

L'INSPECTEUR

Pis arrête de me r'garder comme si j'étais un torchon. Chus pas v'nu au monde avec une casquette su'a tête. Mais j'me mettrai pas à t'conter mon enfance pour te faire brailler, par exemple.

J'pense que ton chum, là, jeudi soir, quand t'es t'allé l'voir, t'étais stoned. T'étais g'lé comme une balle. J'pense qu'la chicane a pogné parce que lui y restait su'a rue Casgrain pis que toi tu fais l'Carré pour te faire d'l'argent pis la montagne pour te faire du fun. J'pense qu'la chicane a pogné pis qu'tu savais pus qu'est-cé qu'tu faisais. J'pense que t'es v'nu fou parce qu'y a voulu t'mett' à porte. J'pense que tu l'as tué sans savoir c'que tu faisais. Que là, t'es parti t'cacher chez vous. Pis que quand t'as r'descendu d'ton trip, là, t'as eu peur. Là, t'as faite dans tes culottes. Pis là, t'as imaginé toute c't'histoire de fou là. Pour te faire passer pour un fou, justement. Hein? Appeler les journalistes. T'arranger pour voler les clés du juge Delorme. Où c'est qu't'es as pris? Hein? Laisse faire. Réponds pas. Je l'sais. Dans ses culottes. C't'in hostie d'belle preuve pour le faire chanter, ça, hein? T'es astu pris avant d'tuer ton chum ou bedon après?

LUI

Après.

L'INSPECTEUR

C'est ça. Pis là, tu t'es dit qu'y pouvait rien faire. Si y appelle la police, y est faite. C'est ça, hein? Pis toi, t'avais pus rien qu'à l'appeler pis à y dire: ou bendon vous t'nez ça mou, ou bendon j'appelle les journalistes pis j'leu mont' les clés. Ou bendon à vot' femme. Ou bendon à police provinciale. C'est-tu ça ou bendon si c'est pas ça?

LUI

Non.

L'INSPECTEUR

Non ? Non, quoi ? Vas-tu finir par le sortir, pour l'amour du Christ ? Pour quoi c'est faire que t'es as pris, d'abord ? Pis quand est-ce que t'as changé d'idée ? Pis pourquoi ?

Écoute-moi ben : ça fait cinq ans que, des tit-culs comme toi, j'en vois dix par jour. Des fois, pluss. J'n'ai vu de tou'es sortes. Y'en a qui commencent par faire ça pour payer leurs cours pis qu'y arrêtent quand y ont assez d'argent. Ou bendon qui partent su l'acide, un soir, pis qui débarquent pus. Ou ben rien qu'su'a bière. Y'en a, c'est pour pas crever d'faim. Y'en a qui viennent d'Outremont pis qui l'font rien qu'pour le trip. J'n'ai vu des grands pis des p'tits. Des gros pis des cure-dents. J'n'ai vu qui ont la face ravagée comme mes pneus d'hiver. Pis d'aut' avec des faces de beubés. Y'en a qui ont cinquante ans pis qui font peur. J'me réveille, la nuit, des fois, en sueur, en pensant avoir senti leu parfum. Je l'sais, mon p'tit gars, qu'un s'rin c'pas jaune pis haut d'même. T'étais pas encore au monde que je l'savais déjà. Pis tes profondes réflexions sur le sujet m'apprennent rien d'pluss. Rien pantoute. Fas que laisse faire les speeches pis accouche.

LUI regarde toujours L'INSPECTEUR, sans broncher. Sans même faire mine de vouloir répondre. Temps.

L'INSPECTEUR

O.K. M'as t'dire in aut' affaire. Tu pourras même appeler ma femme pour y conter, en sortant d'prison, ou bendon comme dernière volonté. In affaire que j'ai jamais contée à parsonne. Y'en a, des fois, chus assis en arrière de mon bureau, pis eux aut' sont assis d'l'aut' bord, pis j'les r'garde. Pis j'ai envie d'me mett' à brailler. Y'a des grands boutt, si Guy 'tait pas là pour transcrire, j'pourrais jamais m'rappeler de c'qu'y m'ont dit pendant une, deux, des fois dix menutes. Y'a pus d'son. Rien. Y pourraient êt' en train d'parler en hébreu ou ben en arabe, j'comprends pus rien. Ça m'prends tout mon p'tit change pour pas me l'ver, sacrer Guy à porte pis les prend' dans mes bras. O.K.? J'n'ai vu d'tou'es sortes. Toutes. Mais des comme toi, j'espère pus en r'voir jamais de toute ma criss de vie. J'espère que t'es l'seul de ton espèce. Parce qu'l'numéro qu't'es t'en train d'faire là, mon p'tit gars, c'est l'affaire la plus écœurante, la plus puante que j'ai jamais vue.

Temps.

L'INSPECTEUR
(*froidement, lentement*)

Je l'sais pas comment que j'vas faire pour t'empêcher d'réussir c'que tu charches. Mais tu peux êt' çartain que m'as toute faire pour. J'sais pas comment que j'vas faire pour prouver qu'les clés, t'es as volées. J'sais pas jusqu'où va falloir que j'aille dans l'parjure pour pas qu'tu puisses salir le juge. Ah, pas parce que c'est un chum. Pas parce que ça peut m'rapporter queuqu' chose. Même pas pour sauver ma job; j'n'ai vu d'aut'. Rien qu'pour te faire farmer 'a gueule. Pour te faire disparaît' d'la circulation. Pour ça, chus prêt à n'importe quoi. Écoute-moi ben : n'importe quoi. Mais m'as t'avoir. Ça, tu peux êt' sûr de t'ça. Pis, pour commencer, m'as t'faire ben d'la peine : tu passeras même pas d'vant les journalistes. (*Criant*:) Guy!

LE STÉNOGRAPHE ouvre la petite porte et reste sur le seuil. L'INSPECTEUR lui fait signe d'entrer et de fermer la porte.

L'INSPECTEUR

Fais r'culer les journalistes jusque dans le hall.

LE STÉNOGRAPHE

O.K.

LE STÉNOGRAPHE ouvre la porte.

L'INSPECTEUR

Attends.

LE STÉNOGRAPHE repousse la porte et attend.

L'INSPECTEUR

Pis fais dire au juge Delorme de passer par en arrière. Arrange-toi pour que le photographe puisse pas l'voir arriver. R'viens ici après.

LE STÉNOGRAPHE

O.K.

LE STÉNOGRAPHE sort en refermant la porte derrière lui.

L'INSPECTEUR

(*après un temps*)

Ça servira peut-êt' à rien, mais là, chus trop fatiqué pour penser. Mais m'as trouver queuqu' chose, tu peux êt' sûr de t'ça.

LUI

(après un temps équivalent à un compte de mille à mille trente, sans regarder L'INSPECTEUR)

J'étais pas stoned. C'tait pire que ça: j'tais en amour. J'ai jamais été aussi tout croche de ma vie. J'ai jamais été aussi pardu.

Je l'avais appelé du métro, à Peel, pour y dire que j'm'en v'nais. J'tais content parce que j'avais faite une bonne journée pis j'voulais l'inviter à souper au restaurant. Pas un grand souper. Jus' au Saint-Denis ou chez Gabrielli. Pis, après ça, on s'rait r'tournés chez eux faire l'amour. J'appelais ça r'charger mes batteries. Après avoir passé deux heures dans ses bras, me semblait qu'y pouvait pus rien m'arriver.

Pour L'INSPECTEUR:

Ouan, c'est vrai, vous avez raison: lui y restait sur la rue Casgrain pis moi j'fais l'Carré. Mais y en a jamais parlé. C'est vrai que des fois j'allais su'a montagne, des fois, jus' après l'avoir laissé. Chus addict. Comprenez-vous ça? Êtes-vous capab' de comprend' ça? Oh oui, vous êtes capab'. Mais ça vous tente pas. Si vous acceptiez de comprend' ça, comment qu'vous feriez pour continuer à faire vot' job? Vous voyez, moi aussi, j'peux comprend'.

Retour sur lui-même:

C'est pas vrai qu'êt' commercial, faire la montagne cinq soirs par semaine ou bendon êt' en amour, c'est toute la même affaire. Le monde pensent ça parce que c'est plus facile de même. Le cul, c'est comme la tête: y'en a que c'qu'y peuvent en tirer d'mieux, c'est l'canal 10. Pis y faut qu'y s'forcent. Tandis que d'aut', y z'écrivent, ça sort tu seul, c'est beau pis c'est jamais pour rire des aut'. Le cul, c'est pareil: c't'un don. On est capab' ou non. On l'fait ben ou non. On aime ça ou non. Moi, j'aime ça. Dans n'importe quelle recette. Êt' commercial, c'est rien qu'une job. La plupart, j'veux même pas qu'y m'touchent. Y'en a, oui. J'veux. J'sais pas pourquoi eux aut' pis pas les aut'. J'me suis jamais posé la question. C'est pas nécessairement les plus beaux ni les plus fins. Pis sûrement pas les plus riches. Mais y'a des clients, m'as leu faire n'importe quoi du moment qu'chus pas obligé d'me déshabiller. Pis y'en a d'aut', j'peux passer la nuit avec pour le même prix. Mais y restent des clients. J'oublie pas qu'y'a un bill au boutt. Même si y sont ben fins.

LE STÉNOGRAPHE rentre, referme la porte derrière lui, en silence. L'INSPECTEUR lui fait signe de noter.

Su'a montagne, c'est une aut' affaire: c'est moi qui choisis. Pis si j'me tanne, j'arrête ça là. Pis c'est en plein air. Juste avant qu'l'aube arrive, quand les oiseaux font rien que commencer à chanter, quand y'en a jus' quelques-uns, y'a des fois, c'est extraordinaire. C'est tellement tranquille: quésiment tout l'monde est parti s'coucher pis la plupart de ceux qui restent se dépêchent. Y font ça en gang avant qu'y fasse clair. Fas que y'a quésiment pus parsonne dans les trails. Des fois, j'y vas sans même penser qu'y peut arriver queuqu' chose. Jus' parce que là, c'est du monde comme moi. Qui charchent la même affaire:

quelqu'un avec qui s'amuser, avoir du fun, du plaisir même, des fois. Sans rien d'mander d'pluss. Y'a des fois, après une coup' de clients, quand ça pogne de bonne heure au Carré, pis qu'n'ai faite assez, pis qu'y est encore de bonne heure, comme vers une heure, des fois, sans même êt' g'lé, j'monte pis j'passe toute la nuit à m'promener en m'racontant des histoires. Des fois, c'est des films de cow-boys. Des fois, c'est Robin des Bois. Des fois, c'est la guerre pis chus un soldat en territoire ennemi. Comme le dernier qui reste d'un commando. J'me pratique à m'promener sans faire de bruit. Faut pas que personne me voye ou m'entende. D'aut' fois, ça d'vient des films de peur. Dans c'temps-là, j'm'accote su un arbre pis j'laisse défiler les images jusqu'à temps qu'j'imagine la pire de c'qui vient avec. D'habetude, l'image...

Temps.

J'sais même pas où c'est qu'c'est, la Bretagne.

LE STÉNOGRAPHE interrompt son travail, cherche des yeux le regard de L'INSPECTEUR. Mais celui-ci regarde ailleurs.

Si y'en a un qu'ça fatiquait que j'fasse le Carré, en tout cas, c'tait pas lui. Lui 'si y comprenait. Ça y faisait rien qu'j'en parle. Des fois, les nuits qu'on a passées ensemble, avant d'm'endormir, quand y m'pognait des vagues d'écœurement pis qu'j'y d'mandais d'me tuer pour m'empêcher d'continuer, il faisait jus' me prend' dans ses bras. Pis y m'serrait jusqu'à temps que l'dos m'craque, en faisant «chuuuuut».

Mais j'ai essayé d'arrêter d'y dire des affaires de même, même quand c'tait vrai, parce que des fois, ça l'faisait brailler lui avec... Pis ça, j'étais pas capab'.

À L'INSPECTEUR:

Un garçon qui jouit, n'importe quel, c'est la plus belle affaire que j'ai jamais vue dans ma vie. Même si y est ben laid. Mais lui, c'était encore pluss que ça: c'tait la première fois que l'soleil se l'vait. Pis un gars qui braille, j'haïs ça. J'sais pas quoi faire avec. Mais quand c'était lui, surtout à cause de moi, c'était la fin du monde. J'arais aimé mieux m'évaporer qu'avoir faite ça.

Retour sur lui-même:

Y m'racontait des histoires, des fois. N'importe quoi. Le p'tit chaperon rouge ou ben Hansel et Gretel. Y avait une voix... Comme. J'v'nais, j'sais pas. Jus' ben. Y arait pu m'raconter sa recette de gâteau aux carottes, avec c'te voix-là, ça m'arait faite le même effet. Une fois, il m'a lu un boutt d'un liv'. Claudel. Le liv' était à côté d'son lit, pis y m'a dit: «M'as t'lire queuqu' chose, attends.» Y s'est dégagé un bras. Y a pris l'liv'. «Attends. De même, j'pourrai pas lire.» J'tais à moitié par-dessus lui. Y m'a faite rouler su l'dos. Pis y m'a mis l'liv' sur la poitrine. Y a charché une page. Quand y l'a eu trouvée, y s'est r'monté pour m'embrasser. Y m'a dit: «Bonne nuit.» Y s'est r'placé. Y a rouvert le liv'. Y a r'monté. Y m'a donné un aut' bec. Y a dit: «Mon amour». Pis là, y est r'descendu pis y a commencé à lire. J'me souviens pas de quoi ça parlait. Mais c'est la seule fois de ma vie que j'me suis endormi su l'dos. Pareil comme sur un matelas flottant, au milieu d'un lac.

Y me l'a prêté, le liv', y est chez nous. J'ai jamais été capab' d'me rend' plus loin que le boutt que j'me souviens qu'y m'a lu.

Quand chus arrivé chez eux, y était en train de préparer à manger. Y avait acheté du vin. Pis y m'avait faite couler un bain.

Heye, c'est niaiseux, hein ? Mais rien que ça, rien que quand j'ai vu l'bain plein de broue, en pissant, parce que j'étais rentré dans maison ben vite parce que j'avais envie, pis qu'y est rentré dans les toilettes, en arrière de moi, pis qu'y m'a mis les bras autour d'la poitrine en m'embrassant dans l'cou, j'ai arrêté d'respirer net. C'était pas, j'sais pas comment dire ça. Ça avait rien à voir avec la tendre épouse accueillant son mari qui rentre du travail. C'tait pas la mère dans la famille Stone. C'est lui qui a faite des jokes là-dessus, après. C'était pas ça. C'tait un gars. Un garçon, j'veux dire. C'tait simp'. Ça allait d'soi. Ça marchait tout seul. C'est pareil comme... Comme... D'un coup, j'étais à la maison. J'avais tellement envie d'y faire autant plaisir qu'il venait d'me l'faire. Pis surtout : j'savais comment. Pour la première fois d'ma vie, j'tais sûr que j'comprenais comment ça marchait dans la tête de l'aut'. C'était facile, facile. J'avais rien qu'à me d'mander comment j'me sentais, qu'est-cé qui m'f'rait plaisir, qu'est-cé qui m'f'rait le pluss plaisir au monde, pis à y faire. Jus' comme lui y v'nait d'faire pour moi. C'est toute.

À L'INSPECTEUR, sans le regarder:

Êtes-vous tanné?

L'INSPECTEUR, de dos, fait signe que non. Temps. LUI, sans l'avoir regardé:

J'pense que ce s'ra pus ben ben long.

LUI se retourne et regarde LE STÉNOGRAPHE un instant. Reprend sa position précédente.

On s'est embrassés pendant à peu près une demi-heure. Après ça, j'ai pris mon bain. Tiède. Quand j'ai eu fini, le repas était prêt. Y'avait deux chandelles su'a table. J'les ai allumées. Pis après, chus allé pour éteind' la lumière, mais j'me sus arrêté. J'y ai dit: «J'aime ça, les chandelles, mais j'aime autant te voir le pluss possible. On peut-tu laisser les chandelles pluss la lumière, ou ben si tu vas trouver qu'chus sans dessein?» Y a eu l'air ben surpris. Y a mis les assiettes, pleines, su'a table. Moi, j'tais encore debout à côté du piton. J'me sentais sans dessein. Pluss chus ben avec le monde, pluss j'me sens sans dessein. Avec lui, ça avait pas de bon sens. Y m'a mis une main chaque bord du cou. Y a pris son temps avant d'parler. Pis y a dit: «Oui. J'te trouve sans dessein. Pis j'pense que j'ai jamais vu quelqu'un autant avoir l'air d'avoir une tête sur les épaules pis êt' aussi sans dessein que toi. C'est pas pour ça que j't'aime. Mais j'pense que c'est pour ça j't'aime autant. Avant qu't'arrives...» Ouan, c'est ça: c'est là qu'y a parlé du bain.«Avant qu't'arrives, jus' queuqu' secondes avant qu'tu rentres en coup d'vent en criant « Youhou, c'est moi ! Ce s'ra pas long ! » pis qu'tu t'garroches dans les toilettes, j'ai failli vider l'bain. J'avais peur que tu t'sentes comme si j'te disais que j'étais ta tendre épouse. J'savais que tu l'prendrais pas. Le seul rôle que chus prêt à jouer avec toi, c'est celui de ton frère. » Y avait les yeux pleins d'eau. Je l'ai embrassé avant que ça rempire. « Si t'étais arrivé cinq minutes plus tard, le bain aurait été vide. Fait que laisse faire le sans dessein. »

Quand on a r'pensé aux assiettes, y étaient froides. Pis les chandelles étaient à moitié brûlées. Y a fallu toute faire réchauffer.

Un moment donné, le téléphone a sonné. C'étaient des amis à lui qui appelaient pour aller à l'Expo crier chou pendant l'feu d'artifice. Y faisaient partie d'une gang d'indépendantistes. Des soirs, j'allais chez eux, des fois, pis y rentrait ben tard, tout excité. Y était chaud, chaud. Pas saoul, mais comme si y avait d'la fièvre. Ça prenait un bout de temps avant qu'y soye avec moi. Des fois, au début, quand on s'connaissait quésiment pas, y a essayé d'me raconter de quoi y discutaient. Mais c'était pas lui qui parlait d'ça. En tout cas, pas celui avec qui j'dormais. Toutes les premiers temps, je r'venais l'voir rien que pour baiser avec. Parce que dès qu'un d'nous deux s'ouvrait la trappe, la bataille pognait. Mais après qu'y a eu mis son roommate à porte, ça a changé. J'sais qu'y allait encore aussi souvent aux réunions, mais, avec moi, y en parlait pus.

Temps. LUI soupire. Temps.

Quand vous s'rez tannés, ou ben que Guy aura pus d'papier, vous m'f'rez signe, m'as m'taire.

Temps.

Ce soir-là, en tout cas, quand y a raccroché l'téléphone, y était pas différent. C'était l'contraire de d'habitude qui est arrivé. J'pense que, pendant quelques secondes, quelques minutes j'veux dire, pour la première fois, c'est pas le rêve que ses chums représentaient pour lui qui a été le plus fort, mais celui qu'je r'présentais, moi. Plutôt que d'embarquer su l'aut' terrain, pendant qu'y parlait au téléphone, y est resté avec moi. J'dis pas dans la cuisine, c'est sûr que c'est là qu'y était, c'est là qu'est l'téléphone. J'veux dire avec moi dans sa tête. Ça fait que y a pas eu à r'venir, comme un étranger, les aut' fois, pis à se réhabituer à moi. C'est l'contraire qui est arrivé. Il leur a parlé dans le même état qu'y était avec moi. Y leur a dit qu'y avait queuqu' chose de ben ben urgent à faire, en me r'gardant en pleine face. J'avais chaud. J'frissonnais. J'savais pus où m'mett'. Y leur a dit qu'y les rappellerait le lendemain matin. J'pense que c'était arrangé d'avance, le rendez-vous. Pis qu'on était supposés avoir fini d'manger à c't'heure-là. Pis qu'y leur avait dit d'appeler. Pis qu'y a changé d'idée en cours de route. En tout cas, la fille, au téléphone, a l'avait l'air en tabarnak après lui.

Quand y a eu raccroché, y m'a d'mandé si j'pensais y faire rencontrer mes chums, un jour. J'y ai dit que j'y avais jamais pensé. Mais c'était pas vrai, pis il l'a vu. J'avais jamais pensé y faire rencontrer mes amis parce qu'en fait, j'avais jamais pensé que ça durerait. La première fois que j'ai osé y croire, c'est pendant qu'y parlait au téléphone. À cause de sa voix. De ses mains. De sa peau. De ses yeux. Même si ça faisait trois mois qu'on était ensemble. Pis y a compris. Y m'a dit que, pour lui, c'était la même chose. Qu'y avait pas envie de mélanger les affaires qui vont pas ensemble. Pis qu'y pensait ben qu'y faudrait qu'y fasse un choix. Pis qu'y pensait que l'choix, y v'nait jus' de l'faire.

J'sais pas comment vous dire ça, mais... Pas pour que vous me croyiez, rien que pour que vous compreniez, mais pendant qu'y m'disait ça, y me d'mandait pas d'en faire autant. Y me d'mandait rien. Y m'mettait au courant, c'est toute. On a r'commencé à s'embrasser. Pis à faire l'amour. J'pense que c'est la seule fois d'ma vie que j'l'ai faite.

Vous savez, les histoires nounounes de: lui c'est moi, moi c'est lui? C'est vrai. Ça existe. J'sais pas comment expliquer ça. Mais c'est ça. J'avais pas l'impression de t'nir quelqu'un dans mes bras. J'avais pas l'impression qu'y'avait une différence ent' lui pis moi. On peut pas parler de t'ça sans faire moumoune, pis ça m'fait chier. On dirait qu'les mots. Qu'les mots veulent pas. Qu'y sont fesses, usés. Qu'y'a pus moyen d'les crinquer. J'sais même pas si lui, y aurait pu. En tout cas. C'est ça: j'me souviens pas d'avoir pensé à y faire ci ou ben à y faire ça. J'pensais pus. Ça allait tu seul. On était même pas su l'plancher, ent' la table pis l'frigidaire; on portait pus à terre.

Choqué:

Vous voyez? Vous voyez, y'a pas moyen. Comment ça s'fait qu'les mots font ça? Sont pas supposés. Hein? Y sont supposés dire qu'est-cé qu'on pense. C'est ça qu'on nous a appris à l'école, non? Un mot pour chaque affaire pis chaque affaire a son mot? Pis si vous apprenez à conjuguer comme du monde. Pis où va l'sujet, pis l'verbe; pis qu'est-cé qu'on fait avec le complément, y'a pas d'problème. Vous avez rien qu'à l'dire pis tout l'monde va comprend'. Hein? Pis y faut pas les écouter, ceux qui font rien qu'ça écrire dans vie, sont malades eux aut', y en font trop, y font d'la dentelle. Toute c'qui a besoin d'êt' dit, c'est facile: dites-lé. Ben d'abord, comment ça s'fait qu'chus fourré d'même? C'est simp', pourtant: j'le sais qu'est-cé j'veux dire. Comment ça s'fait qu'vous l'comprenez pas? Comment ça s'fait qu'ça fite pas? Dès qu'j'essaye d'en parler, on dirait que j'raconte un trip. Mais c'était pas un trip. C'était vrai. J'avais rien pris. On avait même pas ouvert la bouteille de vin. J'avais même pas fumé depuis midi.

On roulait. On balançait. Y'a des boutt, j'me souviens qu'ça gémissait mais j'pourrais même pas dire si ça sortait d'lui ou ben d'moi. J'tais pareil comme un yoyo. Comme. Comme. Je l'sais-tu, moi? J'me sentais comme si j'allais r'virer su'a doublure.

Jus' comme j'allais v'nir, pis lui avec, on arrêtait. On éclatait d'rire. On s'serrait encore plus fort. On se r'virait d'bord comme des crêpes. Y'a rien qu'on a pas faite. Pis... Pis un moment donné. Un moment donné...

Temps.

J'sais pas qu'est-cé qui est arrivé, au jus'. On a dû brasser la tab' un peu fort. J'sais pas. En tout cas, y'a des affaires qui étaient su'a tab' qui sont tombées à terre. L'aut' bord, me semb' qu'y'a eu un verre qui s'est pété. Ou une assiette. Non, un verre; les assiettes sont restées su'a table. Pis y'a un couteau qui est tombé juste là, devant mes yeux. À queuqu' pouces de sa tête. Là, on était partis. On allait v'nir ensemb'. C'est sûr. C'est sûr. Ça m'partait de tou'es boutt du corps pis du milieu en même temps. J'pensais qu'j'allais sauter. Pis j'savais qu'c'était pareil pour lui. Pis là. Là. J'sais pas. En même temps que j'savais toute ça, y'a des images qui m'sont passées d'vant les yeux. C'était aussi vrai qu'sa peau, que nos cris, que mes mains, que le son du verre, pow à terre, c'était... ça s'passait en même temps. Ni en arrière. Ni par-dessus. À la même place. Vous savez, y paraît qu'au moment d'mourir, on r'voit sa vie? Ben là, c'est l'contraire. J'mourais pas, j'v'nais au monde. Fait que c'était pas c'qu'y' avait en arrière de moi qu'j'ai vu, c'est c'qu'y' avait en avant. Pareil comme se rend' compte qu'on est en vie, mais au milieu d'un tremblement d'terre.

Il se lève.

Y était tellement beau. Y était tellement grand. Y était tellement toute. Y était... en fourrure, pis... pis en roche. Pis y m'rendait aussi beau qu'lui. Y... Y... Y m'transvasait! Hein? Hein? Ça avait pus rien à voir avec rien. J'savais même pus si j'étais su'a tête ou ben su l'cul. Su l'côté ou bendon à plat vent'. Pis la seconde d'après: paf. Pis, en même temps que l'couteau est arrivé, jus' le temps qu'ça a pris pour que l'son s'fasse, on v'nait. Ensemble. Pas moi, pas lui, nous deux. Pis j'nous ai vus. Moi, r'partir chez mes clients ou bendon avoir à décider de pus y aller. Pis lui, êt' obligé de s'engueuler avec ses chums. Combien d'temps on aurait été capab'? Hein? Combien d'temps?

À L'INSPECTEUR:

T'à l'heure, vous m'avez traité de trou d'cul. Pensez-vous qu'ça m'insulte? Pensez-vous que j'sais pas pourquoi vous m'disiez ça? Pensez-vous que j'sais pas quel effet vous vouliez m'faire? Pensez-vous que j'n'ai pas vu d'aut'?

Savez-vous ce que c'est, baiser avec un bonhomme haut d'même pis large de même. Séparé ça d'large. Boutonneux. Avec un brandy nose. Que vous savez qu'y d'vait êt' beau quand y était jeune? Pis c'est pas rien qu'l'âge qui l'a rendu d'même. Marié. Les enfants. La job. Qu'vous avez peur qu'y fasse une syncope avant qu'y aille fini d'dire «ôte tes culottes». Qui s'jette su vous comme un tig'. Qui souffle. Qui pousse. Qui tire. Qui sue. Qui a des yeux comme un enfant le soir de Noël. Qui y croit pas. Qui en veut pluss. Qui en veut d'aut'. Mais qui est v'nu en d'dans d'deux menutes. Pis que là, la peur le pogne. Qui a peur de s'faire pogner. La job. La femme. Les enfants. La retraite. Se faire traiter de tapette en lett' hautes de même. Pis que, pendant qu'moi j'vas pisser (*il indique la petite porte*), a jus' le temps de r'placer un peu. Pis qui s'met à tourner comme une toupie. Qui sait pus où s'cacher. Qui essaye de se r'culotter mais y trouve pus l'trou des bretelles. La chemise à moitié déboutonnée. Pis là, toute c'qu'y appelle sa vraie vie y r'tombe dessus. Parce que ça, c'qu'y vient d'faire là, c'était une faiblesse, rien d'aut'. C'est sûr. R'gardez: la job. La femme. Les enfants. Les deux chalets.

Le gros char. C'est ben jus' si y vous les promettait pas, jus' avant d'vous dire de baisser vos culottes. Mais là, c'est pus pareil. Là, y s'sent comme si y avait eu une attaque d'épilepsie. Y est v'nu, là. C'est passé. Y pense même pas au fait que d'main matin, ça va le r'prend'. Y pense à rien. Y calice vot' linge à terre à côté d'la porte pis y pousse vos runnings dessus à coups d'pied. Pis là, y s'approche d'la porte des toilettes pis c'est plus fort que lui. Y s'met à crier, à hurler: « Dehors. Dehors. Envoye, sors d'icitte. Varmine. M'entends-tu? Dehors, j'ai dit. Dehors, dehors. Sors d'icitte. » Pis ça, c'est rien. Parce que si vous avez l'malheur de conter ça à quelqu'un, un d'vos amis, pis d'y dire à quoi vous pensiez, en pissant: que vous vous disiez que peut-êt' c'te fois-citte, y s'rait correct. Parce que vous l'savez que demain ça va le r'prend'. Pis vous l'savez que lui 'si, y l'sait. Vous savez que si vous dites à quelqu'un que vous étiez prêt, si y faisait pas sa crise, à y donner un bec pis à prend' une marche avec lui. Rien qu'ça. Y offrir peut-êt' la seule affaire qu'y peut pas s'permet' dans sa vie, vous alliez l'faire. Que si vous êtes assez épais pour conter ça à quelqu'un, vous allez vous faire traiter de naïf. De naïf.

Comment c'que du monde peuvent passer rien qu'dix menutes à faire l'amour, une fois dans leu vie, pis pas savoir de quoi l'aut' est en train d'mourir? Pis comment qu'on peut passer cinq gars par jour pis pas avoir envie d's'en mêler? Hein? Comment? Comment? C'est mon métier, moi, cibole, de m'en mêler. Jus' à ma grandeur à moi. Avec mon cul à moi. Toute c'que j'ai, c'est mon cul? Fuck d'la marde, c'est avec ça qu'y faut que j'm'en mêle.

Pis lui. Dans ses yeux. À. À. À Claude, je l'ai vu,

qu'est-cé qui a chaviré. Qu'est-cé qu'y a compris, d'un coup. Pis c'est pour ça qu'on arrêtait avant d'v'nir. C'est pour ça qu'on a arrêté quinze fois. Pis qu'à chaque fois, ça montait d'un étage. Pis ça r'partait.

Pis là, quand le verre s'est pété à terre, à c'te seconde-là, j'savais qu'y'avait un move à faire. Qu'on pourrait pus jamais r'sortir de c't'appartement-là comme avant. Pis y fallait pas. Y fallait pas essayer d'faire comme avant. C'qui est vrai, c'est lui qui crie. Qui braille de joie dans mes bras, ent' mes mains. J'tais en même temps comme si on s'noyait, pis en même temps comme quand on a failli s'noyer pis que, d'un coup, c'est fini, on est pus dans l'eau; on respire pour la première fois. J'tais en train d'me noyer en lui, avec lui. Pis y'avait l'restant du monde. Le contraire de c'qui était en train d'nous arriver. Je l'sais. Je l'sais qu'la vraie vie, c'est d'êt' capab' de faire l'un pis l'aut'. Je l'sais. Qu'y'a pas rien qu'la beauté. Je l'sais qu'y'a la marde. J'ai payé assez cher pour l'apprend', j'ai pas besoin d'cours là-d'sus. Mais là, j'pensais pas, c'était ça. Ça. Rien qu'ça. Pis ça s'pouvait pas qu'on reste enfermés comme des moines, les stores baissés, à vivre du grand amour. Pis ça s'pouvait pas qu'on r'trouve c'qui s'passait là, queuqu' menutes par mois, en passant l'rest' du temps à négocier avec tout l'monde. Fas que tout c'que j'me rappelle c'est que d'in coup, j'avais l'couteau à steak dans une main. Pis ça s'en v'nait. Ça s'en v'nait. J'me suis senti partir. Par en avant, pis en même temps, par en arrière. Pis exploser. Pis j'ai entendu notre cri. Pis là... Là. Tout d'un coup. On s'noyait. Pis j'entendais encore crier. Pis j'entendais des balounes. Des balounes. Comme dans un milkshake. Pis là. Là. En même temps y'avait que j'explosais partout, pis j'me noyais, pis j'nous voyais pus jamais r'sortir de chez eux. Jamais nous r'lever. Pis en même temps, j'sentais son sexe, comme un arb', qui explosait. Pis déjà, y'avait pus d'couteau dans ma main. Pis moi j'criais. Pis lui. Lui. Sa gorge saignait. Y v'nait, pis en même temps, son sang r'volait jusque dans les f'nêtres, pis su l'frigidaire. Su l'poêle. Su'a tab'. Pis je l'embrassais partout. Partout. Partout. Su sa blessure. J'buvais son sang. J'm'en mettais partout. Pis lui, y donnait encore des coups. Y s'arquait. Y tremblait. Pareil comme moi.

Pis là, j'pense que j'me suis endormi. Su lui. Ça a pas dû durer pluss que queuqu' menutes.

Y'avait queuqu' chose de changé. J'pense que la première affaire dont j'me suis rendu compte, c'est que son cœur battait pus. Avant même de rouvrir les yeux. Avant même d'êt' réveillé pour vrai. Vous savez, à T.V., quand on voit des gars, des sportifs, qui s'écrasent à terre après avoir passé la ligne d'arrivée? J'pense que c'est d'même qu'y doivent se sentir: vides. Juste ça: vides.

Y'avait queuqu' chose de changé: toute.

Je l'ai pas r'gardé. J'suis resté les yeux fermés. Je l'ai embrassé. Y était toute chaud. Je l'ai embrassé. Partout.

J'me suis décollé d'lui. Lentement. Lentement.

Chus sorti d'la cuisine, sans r'garder. J'ai éteint la lumière. J'ai pris une douche. Chus r'venu dans cuisine. J'me suis rhabillé. Pis là, je l'ai r'gardé.

Monsieur? Y était beau. Y s't'nait même pas la gorge. Pendant une seconde, j'ai eu peur qu'y aye eu mal. Mais chus sûr que non. Non. Y souriait. Y avait les bras en croix. C'est vrai : y avait pas pu s't'nir la gorge, y m't'nait, moi. J'espère jus'. Jus' que lui, y a pas vu les images que moi j'ai vues. J'espère jus' que lui, y est jus' v'nu au monde. Pis qu'y a pas vu l'aut' bord d'la médaille. Avant. J'y ai fermé les yeux. Même à mon père, j'ai pas pu faire ça, parce qu'y est mort pendant qu'j'étais pas là. Pis ma mère avec, mais elle, est morte tu seule. Mais mon frère, lui, mon semblable, mon reflet, lui, oui, j'y ai fermé les yeux. Pis y est mort de plaisir. Sans jamais avoir eu à passer ses journées dans marde.

Je l'aime.

Quand j'me suis éloigné de son corps...

Le reste, j'vous l'ai conté...

Après ça, dans l'port...

J'sais pas...

L'deuxième qui m'a ramassé, au Carré...
Pis j'ai r'pensé à ma sœur... J'savais qu'il fallait que j'vous appelle parce que juste à l'idée...Pourrir...
J'lâche.

Temps.

Trois coups sont frappés à la grande porte, plus forts que les précédents. LE STÉNOGRAPHE se lève. L'INSPECTEUR lui fait signe de prendre ses affaires et de sortir avec LUI, par la petite porte. LE STÉNOGRAPHE ramasse ses affaires, vient se placer à côté de LUI, qui se lève. LUI prend un petit trousseau de clés au fond d'une des poches de devant de ses jeans et les jette sur le bureau, devant L'INSPECTEUR. LE STÉNOGRAPHE va à la petite porte. L'ouvre. Attend. Le policier, de l'autre côté, attend, dans le cadre de la porte. Le sténographe sort. Long regard entre LUI et L'INSPECTEUR. LUI se détourne et marche lentement vers la petite porte. L'INSPECTEUR se lève. Prend les clés sur le bureau. Hésite un instant en se demandant s'il devrait remettre de l'ordre sur le pupitre du juge. N'en fait rien.

Gong.

Noir.

New York
18 octobre au 26 octobre 1984

QUELQUES EXTRAITS DE JUGEMENTS CRITIQUES

BEING AT HOME WITH CLAUDE
LA PASSION SELON R-D. D.

Sans aucun doute, *Being at home with Claude* est un chef-d'œuvre.

(...)

On voit que le texte de René-Daniel Dubois est d'une profondeur extrême.

(...)

Avec cette pièce, le théâtre québécois reprend ses lettres de noblesse. On est touché directement dans notre être par le texte et la performance de Lothaire Bluteau. Enfin, le théâtre dépasse le cinéma et transcende la réalité.

Guy Ferland
CONTINUUM, Journal des étudiants et des étudiantes de l'Université de Montréal, vol. IX nº 11, semaine du 18 novembre 1985.

IL FAUT VOIR «BEING AT HOME WITH CLAUDE»

Que vous soyez un amateur de théâtre à la recherche du sublime ou quelqu'un fréquentant rarement les spectacles d'art dramatique vivant, écoutez ce conseil d'un néophyte : courez au Quat'Sous acheter un billet pour assister à une représentation de «Claude» et préparez-vous à retenir votre souffle pour ne rien rater de ce spectacle génial.

Martin Smith
LE JOURNAL DE MONTRÉAL, dimanche 17 novembre 1985.

LOTHAIRE BLUTEAU INOUBLIABLE RENÉ-DANIEL DUBOIS LIVRE UNE PIÈCE MAJEURE

Au Quat'Sous, j'avais ressenti un tel poids d'émotion, une telle évidence, un tel bonheur de spectateur (lorsque le théâtre agit en profondeur), il y a plus de douze ans, lorsque s'était terminée la première représentation d'*À toi pour toujours, ta Marie-Lou*. Dans l'ensemble de l'histoire du théâtre québécois depuis le renouveau des années soixante, *Being at home with Claude*, de René-Daniel Dubois, rejoint les quelques pièces parfaitement senties (c'est-à-dire qui demeurent ouvertes, re-questionnables, en cela vivantes et pourtant terriblement d'un seul bloc) qui donnent au théâtre d'ici son appui spécifique, sa valeur intrinsèque.

Des *Belles-Sœurs* au *Temps d'une vie*, du *Temps des lilas* au *Chrysippe Tanguay*, et d'*Un reel ben beau ben triste* au *Provincetown Playhouse, juillet 1919, j'avais 19 ans*, il y a de ces pièces qui rejoignent l'universel, même à partir d'un fait précis et d'une géographie restreinte, mais portées par un souffle sans frontières, et *Being at home with Claude* est de ces pièces-là. RDD donne une pièce de plus à cet échiquier théâtral (peu meublé mais très fort) du Québec.

(...)

René-Daniel Dubois, après avoir donné *William (Bill) Brighton* et *Ne blâmez jamais les Bédouins* la saison dernière, apparaissait déjà comme «le» dramaturge à surveiller. Il prouve, avec *Being at home with Claude*, qu'il est à la fois le plus esthète de nos écrivains de théâtre et, ce qui fait son génie à l'égal de Tremblay mais dans une autre manière (les générations se suivent sans se ressembler, ce qui est un autre signe de force), le plus viscéral des poètes dramatiques. Je crois qu'il va falloir rapidement réserver ses places au Quat'Sous car cette fois-ci ça y est: c'est à voir absolument.

Robert Lévesque
LE DEVOIR, mardi 19 novembre 1985.

UNE CRÉATION DIGNE DE OFF BROADWAY UNE PIÈCE ÉCRITE EN SIX JOURS PAR RENÉ-DANIEL DUBOIS

De toutes les pièces présentées dans les théâtres montréalais depuis le début de la saison, *Being at home with Claude*, au Théâtre de Quat'Sous, est sûrement la meilleure, la plus forte, la mieux conçue pour répondre aux attentes des amateurs de théâtre.

(...)

René-Daniel Dubois, avec ses précédentes créations, avait obtenu le titre du Montréalais de l'avenir dans le domaine du théâtre (1983) et le Prix du Gouverneur Général (1984). Âgé de 30 ans à peine, il n'a pas fini de nous étonner.

Being at home with Claude n'a d'anglophone que le titre. En fait c'est le premier texte écrit en «québécois» par ce dramaturge.

Une œuvre dure et attendrissante, passionnée.

(...)

Nous n'avons pas fréquemment la chance d'assister à des créations québécoises de ce calibre. Il faudrait normalement se déplacer à New York, Off Broadway, pour voir l'équivalent.

Raymond Bernatchez
LA PRESSE, Montréal, vendredi 15 novembre 1985.

BEING AT HOME WITH CLAUDE UN 2e GRAND COUP DU QUAT'SOUS

BOUM!!! Encore une! Cette saison, le Théâtre de Quat'Sous lâche de véritables bombes. Après l'éclatant succès d'Anaïs Nin, voici une explosion d'amour avec *Being at home with Claude* de René-Daniel Dubois, mise en scène par Daniel Roussel.

(...)

Cependant, et ce qui importe davantage, c'est toute la profondeur du personnage d'Yves (jeune prostitué) et de son histoire mirobolante. La portée de la pièce dépasse largement l'acte intellectuel de l'écriture comme quoi l'auteur la portait depuis bien au-delà de six jours, peut-être depuis toujours...

Gilles Choquette
LIAISON ST-LOUIS, Journal communautaire du plateau Mont-Royal, 9e année, n° 34, 20 novembre 1985.

TABLE

ACHEVÉ D'IMPRIMER
EN SEPTEMBRE 1998
SUR LES PRESSES DE L'IMPRIMERIE
VEILLEUX IMPRESSION À DEMANDE INC.
BOUCHERVILLE (QUÉBEC)
POUR LE COMPTE
DE LEMÉAC ÉDITEUR, MONTRÉAL

DÉPÔT LÉGAL
1re ÉDITION: 1er TRIMESTRE 1986
(ÉD. 01 / IMP. 02)